O CÉTICO E O RABINO

RENATO LESSA

O CÉTICO E O RABINO

BREVE FILOSOFIA SOBRE A PREGUIÇA, A CRENÇA E O TEMPO

Editor executivo: Rodrigo de Almeida
Gerência de produção: Maria Cristina Antonio Jeronimo
Produção editorial: Guilherme Vieira
Preparação: Maria Clara Antonio Jeronimo
Capa e projeto gráfico: Leandro Liporage
Diagramação: Filigrana
Revisão: Eduardo Carneiro
Imagens de capa: *Retrato de George Dyer num espelho* (Francis Bacon © 2019. Museo Nacional Thyssen-Bornemisza/Scala, Florence); *Preguiça* (Pieter Bruegel); *Alegoria da vaidade* (Antonio de Pereda)

Dados Internacionais de Catalogação na Publicação (CIP)
Angélica Ilacqua CRB-8/7057

Lessa, Renato
O cético e o rabino / Renato Lessa. – Rio de Janeiro: LeYa, 2019.

ISBN 978-85-441-0769-0

1. Filosofia. I. Título.

18-1749 CDD 100

Índices para catálogo sistemático:
1. Filosofia

Editora Casa da Palavra
Avenida Eng. Armando de Arruda Pereira, 2.937
Bloco B - Cj 302/303 B - Jabaquara
04309-011 - São Paulo - SP
www.leya.com.br

Para
Isadora, no modo do futuro
e
Antonio Candido, no modo da eternidade

SUMÁRIO

"Verdadeiro é o mar [...] mas e o homem?"
Luigi Pirandello, *Assim é (se lhe parece)*, 1917.

Apresentação

Os ensaios aqui reunidos resultaram de provocações e de interpelações ao pensamento. Foram originalmente apresentados em três séries de conferências, organizadas e concebidas por Adauto Novaes, em torno do tema das "Mutações". Há cerca de três décadas, Adauto Novaes vem organizando ciclos anuais de conferências, a respeito de temas importantes no campo do pensamento. Questões ligadas à cultura, à filosofia, à arte, à política, à literatura – entre tantos campos – vêm sendo tratadas a cada um desses ciclos, sempre itinerantes por diversas cidades brasileiras. O muito saudoso e muito querido Antonio Candido, nosso crítico e intelectual maior, considerava o projeto de Adauto "um dos feitos mais importantes da atividade cultural brasileira do nosso tempo", contribuição que teria ajudado a redefinir "o próprio rumo da civilização contemporânea".

O primeiro ensaio do livro – "O cético e o rabino, ou do rosto metafísico da preguiça" –, do qual extraí parte do título deste volume, resultou de uma das mais instigantes provocações apresentadas por Adauto Novaes. Em 2011, Adauto propôs-nos, para a série das Mutações daquele ano, o tema "O elogio da preguiça". Do convite resultou a primeira versão do texto aqui incluído, publicada, em 2012, na obra coletiva que reuniu o conjunto das conferências.[1] Na versão incluída neste volume, optei por tratar do tema da preguiça fora de marcadores de natureza sociológica, histórica ou política. Orientei-me por uma perspectiva que denominei "metafísica", sustentada em duas, digamos, inspirações.

Uma delas proveniente do exercício especulativo de Anselmo de Cantuária, filósofo cristão do século XI, em seu livro *Proslógio*, no qual se propôs a demonstrar a existência de Deus, com base em argumentos racionais. Para tal, lançou mão de um operador filosófico, contido na expressão *nec plus ultra* – nada de maior. Na aplicação anselmiana da fórmula, Deus é posto como ser com relação ao qual nada de maior pode ser pensado. As implicações do uso anselmiano são analisadas no ensaio. Neste momento, importa dizer que tomei o operador de Anselmo como plataforma de lançamento da imagem de uma preguiça com relação à qual nada de maior pode ser pensado. Tal inflexão afastou-me de modo necessário da observação de, digamos, preguiçosos realmente existentes, pois por maior que seja um preguiçoso sempre se poderá imaginar um maior ainda. O que me interessava era exatamente poder definir o que seria uma forma de preguiça além da qual nenhuma outra seria possível. Isso só é viável no plano metafísico.

---

[1] Ver Renato Lessa, "O rosto metafísico da preguiça, ou da preguiça como metafísica", in: Adauto Novaes (org.), *Mutações: elogio à preguiça*, São Paulo: Edições Sesc SP, 2012, p. 267-94.

A segunda orientação decorreu da crítica antimetafísica do filósofo Charles Sanders Peirce às ideias de introspecção, intuição e evidência. Como veremos, para Peirce tais ideias denotam estados inalcançáveis pelos humanos, sempre fixados existencialmente em séries temporais e em estruturas espaciais, por definição mais extensas do que poderia reter uma intuição instantânea, ou uma evidência racional fora de tempo e lugar. Em outros termos, somos seres imperativamente fixados em algum momento dessas séries temporais e espaciais. Somos, portanto, seres de lugares/momentos particulares do espaço e do tempo. A própria ideia de experiência resulta desse imperativo: ela é da ordem de uma conexão necessária entre espaço e tempo.

A crítica de Peirce abriu-me a possibilidade de pensar o seu oposto, ou seja, a hipótese de que a suspensão da conexão tempo-espaço abre a possibilidade de imaginar um modo de vida no qual não operam os imperativos da ação. Em outros termos, se quero pensar o absoluto da preguiça, devo imaginar as implicações de uma dissociação entre tempo e espaço. Se isso for possível, teremos aí armado o cenário metafísico de uma preguiça além da qual nenhuma outra maior pode ser pensada. Nessa chave, devo admitir, já não se trata tão somente de preguiça, mas de condições para a suspensão da ação, de pura *apraxia*. Trata-se, portanto, de uma promoção conceitual: da preguiça ordinária, transitamos para a preguiça metafísica.

Examino a seguir dois exemplos de dissociação entre tempo e espaço: o ceticismo pirrônico – tradição filosófica iniciada no século IV antes da Era Comum – e a interpretação do Schabat judaico, tal como posta pelo rabino Abraham Joshua Heschel, exemplar admirável do judaísmo reformista, no século passado. O cético (Sexto Empírico) e o rabino (Abraham Heschel) por certo não foram preguiçosos. Antes o contrário: Sexto Empírico, por ser médico de profissão, e Heschel, sempre assolado com suas obrigações rabínicas, às quais acrescentou a militância ao lado de seu amigo Martin Luther King Jr. pelos direitos civis, na década de 1960, foram o avesso da preguiça.

Procurei retirar o tema da preguiça da dupla marcação do "pecado capital" cristão e de seus supostos potenciais emancipatórios, segundo a semântica anticapitalista. Tratei de reinscrevê-la como problema filosófico; de simular sua condição em termos absolutos; considerá-la metafisicamente. Caberia, por certo, mais do que de cuidar da preguiça, de proceder a um exame da apraxia e do domínio da crítica da ação. Não consegui, penso, disfarçar meu reconhecimento da legitimidade da demanda por quietude e da simulação do absoluto, algo temível na política. Melhor, afinal, simular o absoluto em nós mesmos do que o impor como condição existencial aos demais. Para isso, temos filosofia, metafísica e arte; para os que forem capazes, há a religião.

O segundo ensaio – "Crença, descrença de si, evidência: a propósito de uma fábula de Luigi Pirandello" – teve como origem outra provocação posta por Adauto Novaes para pensar o tema da crença. Disto resultou a organização, em 2010, de uma série de conferências em torno do tema "Mutações: a invenção das crenças", na qual apresentei uma versão inicial do ensaio aqui publicado, sob o título de "Crença, descrença de si, evidência". O conjunto das conferências foi publicado em 2011 em livro de mesmo título.[2]

Na versão que ora apresento, o ensaio pode ser dividido em três segmentos distintos. No primeiro deles trato do tema da crença, procurando distinguir níveis distintos, desde as mais "voláteis" e de pouco efeito prático até as mais profundas e, digamos, "tectônicas", inscritas em nossas estruturas mais arcaicas e composto por um conjunto de crenças do qual, em princípio, não nos é dado descrer. O segundo segmento relativiza a invulnerabilidade dessas crenças tectônicas, a partir da análise de um evento literário, o personagem Vitangelo Moscarda, do último romance de Luigi Pirandello, *Um, nenhum e cem mil*, publicado como livro em 1926. Como veremos na altura certa, trata-se de um personagem que procede a uma integral desconstrução de si mesmo por meio de um processo denominado por Fernando Gil, em sua análise do poeta português Sá de Miranda, "inevidência do eu". A expressão de Fernando Gil diz respeito ao processo da dúvida a respeito de si mesmo, presente na obra poética de Sá de Miranda (1481-1558), em fragmentos tais como: "Que meio espero ou que fim/ do vão trabalho que sigo,/ pois que trago a mim comigo, tamanho ini-

[2] "Crença, descrença de si, evidência", in: Adauto Novaes (org.), *Mutações: a invenção das crenças*, São Paulo: Edições Sesc SP, 2011, p. 343-76.

migo de mim?"[3] Para além da qualidade poética ímpar de Sá de Miranda, suas obras são de grande importância para a análise da emergência do sujeito moderno e do lugar da dúvida que ali fixou marca indisfarçável.

Moscarda, nos termos de Ludwig Wittgenstein na célebre proposição 123 de suas *Investigações filosóficas*, "não sabe mais onde está", e dessa forma faz-se filósofo. Analiso no ensaio as etapas dessa descrença de si como modalidade de autodesconstrução filosófica e os seus resultados, que não serão aqui adiantados. Por fim, o último segmento apresenta o operador *evidência*, como antídoto aos processos de descrença do mundo e de si. O tema da evidência, tão caro aos pensadores do século XVII, foi magnificamente tratado por Fernando Gil em sua obra maior, o *Tratado da evidência*, de 1996.[4] Embora central no século XVII, os medievais já o conheciam e devemos a um deles – Bernardo de Arezzo –, no século XIV, uma definição precisa: a evidência – ou *notitia intuitiva clara* – é aquilo pelo qual julgamos que uma coisa existe, independente de ela existir ou não.[5]

Na mão dos filósofos do século XVII – Descartes à frente de todos – o tema da evidência reconfigurou as relações entre verdade e realidade. A primeira passa a ter

---

[3] Ver Francisco de Sá de Miranda, "Glosa a esta cantiga de Dom Jorge Manrique", in: Francisco de Sá de Miranda, *Obras completas*, Lisboa: Livraria Sá da Costa Editora, 2002, vol. 1, p. 10.

[4] Ver Fernando Gil, *Tratado da evidência*, Lisboa: Imprensa Nacional/ Casa da Moeda, 1996.

[5] *Apud* Julius Rudolph Weinberg, *Nicolas of Autrecourt: a study in 14th century thought*, New York: Greenwood Press, 1948, p. 9.

parte com os circuitos cognitivos internos – epistêmicos – do sujeito, habitados por verdades evidentes, tais como as chamadas "noções comuns", de caráter lógico, matemático e geométrico. Tais noções não são rigorosamente "reais", no sentido em que não interagimos de modo primário com figuras geométricas. Mas quando as imaginamos, não podemos deixar de julgá-las como verdadeiras. Verdade e realidade, portanto, deixam de andar ao par. Thomas Hobbes será o primeiro filósofo político a imaginar um sistema no qual os marcadores de verdade estão sustentados em evidências racionais, e não na observação de fatos inscritos no assim chamado mundo real ou histórico.

Por fim, o terceiro ensaio – "Por uma arqueologia da espera: tempo, futuro, expectativa, abstração" – foi apresentado originalmente, em versão mais compacta, na série de conferências, organizada por Adauto em 2012, em torno do tema, tão caro a Paul Valéry, "Mutações: o futuro não será mais o que era". O texto por mim apresentado na conferência – "Uma arqueologia da espera" – foi publicado em 2013.[6] A provocação temática feita, naquela altura, por Adauto Novaes, partiu de uma frase célebre de Paul Valéry: "O problema do nosso tempo é que o futuro não é mais o que foi."[7]

[6] Ver Renato Lessa, "Uma arqueologia da espera", in: Adauto Novaes (org.), *Mutações: o futuro não será mais o que era*, São Paulo: Edições Sesc SP, 2013, p. 475-503.

[7] A formulação original é: "L'avenir est comme le reste: il n'est plus ce qu'il était." Cf. Paul Valéry, "Notre destin et les lettres", in: *Regards sur le Monde Actuel*, in: Paul Valéry, *Oeuvres II*, Paris: Gallimard, 1960, p. 1062.

O ângulo de ataque que escolhi e o ensaio aqui publicado partem da necessidade de examinar o que constitui os nossos atos de espera ou, se quisermos, o que dentro de nós nos faz esperar. No lugar de investigar objetos de nossa espera e expectativa – ou seja, aquilo que esperamos –, decidi examinar o que é isso que espera ou, em outra notação, o que é o sujeito da espera. Trata-se de explorar a sensação de que, quando esperamos ou temos expectativas com relação a algo, duas questões podem ser distinguidas: aquilo que esperamos (*o objeto da espera*) e quem/o que espera (*o sujeito da espera*).

Minha suposição, com base em textos dos filósofos Ludwig Wittgenstein e Fernando Gil, entre outros, é a de que atos de espera põem em jogo uma relação entre *expectativa* e *preenchimento*, e que é nesse hiato – o intervalo entre essas duas dimensões – que residem os marcadores do tempo no interior do sujeito, suas sensações de temporalidade e suas projeções na direção de cenários futuros, nas quais sempre ocorre uma fusão entre imaginação e desejo. Parto de uma definição antropológica que vê nos humanos *seres no tempo*, para os quais as alucinações de futuro possuem importância inestimável. Examino, por fim, a hipótese da interrupção dos circuitos que conectam de modo habitual a expectativa e o seu preenchimento, como fatores de perturbação das representações do futuro. Há, devo confessar, um suspeita a conduzir meu argumento: a de que a frase de Valéry não tem como implicação simplesmente a ideia de que não temos o que esperar do futuro, e sim a de que não temos como fazê-lo. Dada a distinção entre o *que* e o *como*, orientei-me para uma reflexão a respeito dos nossos circuitos internos de expectativas, para ver em que medida eles são relevantes para a configuração de nossas atitudes e antecipações diante do futuro.

Para tal, utilizo elementos da história da arte moderna e contemporânea, da estética, da literatura e da dramaturgia do século XX. A suposição é a de que a quebra da referencialidade pode nos ajudar a entender o desfazimento dos modos usuais de conexão entre expectativa e preenchimento ou, se quisermos, os modos habituais da espera. As expectativas usuais que temos diante de uma pintura ou de uma peça de teatro naturalistas são as de que algum sentido – sempre aberto a interpretações, por certo – está ali inscrito, e que de algum modo a expressão estética encena um mundo cujos contornos gerais nos são familiares. Pensemos, por exemplo, em uma das magníficas naturezas-mortas de Jean-Baptiste-Siméon Chardin, pintor do século XVIII que, segundo Diderot, teria trazido para as telas a perfeição da natureza, ou em uma peça de teatro tal como *A morte do caixeiro-viajante*, de Arthur Miller, um modelo de fusão entre realismo e tensão psicológica. Em ambos os exemplos, é possível dizer que expectativas de sentido são preenchidas e que a experiência estética, dessa forma, produz efeitos de realidade, ou de "ilusão de referencialidade", nos termos do crítico literário Michael Riffaterre.[8]

[8] Cf. M. Riffaterre, "A ilusão referencial", in: M. Riffaterre *et al. Literatura e realidade*, Lisboa: D. Quixote, 1984, p. 99-128.

Se compararmos com as sensações que temos diante de composições musicais atonais, de pinturas abstratas ou da dramaturgia de um autor como Samuel Beckett, os efeitos serão radicalmente distintos. Já não se trata de trazer o mundo para as telas – invertendo um comentário de Jean-Paul Sartre a respeito da pintura de Alberto Giacometti –, mas de indagar – se for o caso – de que mundo se trata. Não pretendo atribuir à abstração e à quebra da referencialidade a maternidade do que poderíamos definir como a "síndrome de Valéry", que assevera que já não há mais lugar para expectativas diante do futuro. A referência ao campo da arte e da literatura tem a ver com a intuição de que essas modalidades de expressão, como o quê, *chegam antes*, ou seja, concentram em si virtudes antecipatórias.

Não é pequena a medida em que as vanguardas estéticas anteciparam, em suas diversas e diferentes manifestações, a quebra dos padrões usuais de representação do próprio mundo da vida. Com efeito, nenhum século como o último concentrou em si esforços de supressão de expectativas. No tratamento do problema posto por Valéry, escolhi não trafegar pela história ou pela política. Em direção distinta, optei por perscrutar o sujeito da espera, ensaiar uma arqueologia de seus mecanismos de expectativa e a isto associar a análise de um quadro cultural – que poderíamos designar como o da primeira idade da arte contemporânea – marcado pela quebra dos padrões de gosto e de preenchimento estético habituais.

Se me fosse exigida a definição do gênero ao qual pertencem esses ensaios, eu marcaria a opção "ficções filosóficas": hipóteses sobre maneiras de pensar e sobre formas de vida. Imagens que em grande medida decorrem da força de alguns operadores filosóficos, tais como a expectativa, a crença e a descrença de si, a evidência e a perspectiva do infinito. Dimensões não acessíveis aos protocolos de descrição e que exigem como condição de tratamento o engenho de alguns elementos alucinatórios e ficcionais. Disto decorre, ao longo dos ensaios, o uso de materiais inscritos nos campos da arte, da literatura e da teologia.

A PREGUIÇA

Desidia
brueghe
·1·5·5·7·

Página anterior:

Preguiça
Pieter Bruegel, 1557
Galeria Albertina, Viena

CREIO SER MUITO DIFÍCIL imaginar alguém que ao menos uma vez na vida não tenha lançado mão do célebre adágio de Mário de Andrade: "Ai, que preguiça!", expressão típica do "herói sem caráter", Macunaíma, personagem-título do genial romance, publicado em 1928. O herói da *rapsódia* – tal como Gilda de Mello e Souza, em livro mais do que inspirado, definiu o gênero do romance – teria passado seus primeiros seis anos sem falar, e quando a tal incitado, saía-se com a máxima citada.

É bem certo que há entre nós ferrenhos seguidores de gente como Benjamin Franklin, famoso não só pela invenção do para-raios, como também pela autoria de adágios contrapreguiçosos, tais como: "A preguiça viaja tão devagar que a pobreza logo a atinge." Não são poucos os que julgam que nações menos desafortunadas do que a nossa construíram suas crenças básicas em torno dos valores não preguiçosos de Benjamin Franklin.

Mas como definir a preguiça? O que é isto, a preguiça? Imagino pelo menos dois caminhos possíveis. Em chave negativa, a preguiça pertence ao quadro dos pecados capitais, lado a lado com disposições nada recomendáveis: avareza, indiferença, crueldade, entre outros. A visão positiva apresenta a preguiça como forma de resistência à aceleração do mundo moderno.

Confesso que esta última versão possui lá raízes mais fundas do que a primeira. É que desde o livro do Gênesis aprendemos que o melhor da vida ficou para trás – antes da Queda –, quando não trabalhávamos. Ao ócio feliz do Paraíso seguiu-se o sofrimento do trabalho como pena imposta pela justiça divina. Foi a uma humanidade pós-lapsária que o trabalho aos filhos de Adão e Eva se apresentou como dever, marcando indelevelmente a atividade com o signo do castigo.

Nem a retórica do enobrecimento pelo trabalho nem a que sustenta a sua potência revolucionária, penso, foram bem-sucedidas a ponto de eliminar o animal pré-lapsário que reside em cada um de nós. O animal que guardaria dentro de si, como reserva de felicidade utópica, o regresso à condição originária, em um mundo no qual o trabalho não havia sido inventado.

Uma das representações mais singelas e minimalistas desse ideal de vida pré-lapsária e feliz que conheço encontra-se na máxima lusitana "sopas e descanso". Trata-se da imagem de uma *frugalidade feliz*: se calhar, a vida edênica foi exatamente assim, mas como sabê-lo?

No ensaio que segue não procuro descrever as formas da preguiça. Proponho, na verdade, a seguinte questão: o que seria a preguiça absoluta, ou o seu absoluto? Em chave mais filosófica: é possível imaginar uma metafísica da preguiça, ou da apraxia (ou suspensão de toda compulsão a agir)? Caso seja, que formas de vida poderiam disso resultar? Ouçamos o cético e o rabino.

O CÉTICO E O RABINO: O ROSTO METAFÍSICO DA PREGUIÇA

> O cético, como *philánthropos*, deseja curar pela palavra, tanto quanto possa, a presunção (*oiesín*) e a precipitação (*propetéian*) dos Dogmáticos.
>
> (Sexto Empírico)

> [...] a essência do Schabat apresenta-se completamente separada do mundo do espaço.
>
> (Abraham Joshua Heschel)

Abertura: os impasses da preguiça como prática

Pensar a preguiça. A primeira tentação é a de associá-la a um desejo de resistência ao mundo do trabalho. Com efeito, isso parece ser mesmo irresistível: diante dos processos de aceleração da vida, tanto sociais como tecnológicos, alguma reserva de respiração parece impor-se como necessária. A defesa de um direito à preguiça, ao que tudo indica, apresenta-se como postulação de uma forma de vida, pela qual recuperaríamos alguma autonomia, frente a processos sociais que a negam. A heteronomia – a negação da autonomia – impediria que sejamos sujeitos plenos de nossos próprios planos de vida. Por tal razão, o direito à preguiça acabaria por adquirir a fisionomia de um *dever da preguiça*, propiciador de maior autonomia para os sujeitos que o tomam como imperativo.

Tal autonomia, cujo desfrute decorreria da adesão a um princípio da preguiça, seria passagem não para um usufruto privado e pessoal - um gozo autárquico da autonomia, em uma espécie de desfrute de uma existência liberada de sua motivação originária –, mas para a possibilidade de incursões no próprio mundo da vida, a sede por excelência dos engenhos de heteronomia. A preguiça, nessa chave, seria a um só tempo esclarecedora a respeito de nossa condição presente e propiciadora de formas emancipadas de ação no mundo.

A preguiça seria, antes de tudo, uma condição de esclarecimento crítico a respeito das razões da aceleração social e do hiperativismo irreflexivo do *Homo sapiens*, em sua especiação utilitária. Seria possível mesmo cogitar de um imperativo que, através da hipótese de uma universalização da preguiça poderia estabelecer um modo de observação crítica do mundo. O imperativo da preguiça - se assim pudermos nomeá-lo - seria requisito inegociável para a constituição de um ponto de vista geral e privilegiado de observação daquilo que seu oposto, o paradigma do movimento compulsório, semeia pelo mundo.

Fazer da preguiça uma exigência para a refutação do paradigma do movimento compulsório - pela via hipotética ou existencial - ofereceria ao observador do mundo vantagens epistemológicas ímpares. O pensamento da aceleração, por oposição, mesmo afetado por chave crítica e "contra-hegemônica", é parte integrante do processo de aceleração. Com efeito, só o juízo que se põe como exterior à aceleração poderia operar em chave crítica forte ao princípio que a sustenta. A preguiça, pela arritmia que propicia a quem dela usufrui, pela perspectiva do freio no turbilhão temporal das coisas e pela recusa ao deslocamento infrene no espaço, institui, ao menos, um contraste no que diz respeito a distintos ritmos de tempo: é possível, afinal, sermos mais lentos do que parece exigir o vórtice da aceleração.

(Lembro-me bem de uma ocasião na qual, em saudosa conversa com o geógrafo baiano Milton Santos, dele ouvi uma defesa dos *homens lentos*. Milton Santos o fazia não só por razões que relevam da natureza necessariamente lenta do pensamento – ao menos do pensamento digno de aplicação do termo –, mas como reserva política e cultural. Homens lentos seriam, portanto, resistentes fixados no vórtice da vida rápida.)

O lado propiciador da preguiça estaria vinculado à presença de um ânimo anticapitalista e, mais do que isso, antimodernizador, não raro afetado por certo pessimismo cultural (*Kulturpessimismus*). A preguiça, nessa perspectiva, seria uma força de afirmação de uma forma de vida na qual a vigência de uma sociabilidade "superior" a tornaria desnecessária, acabando assim confinada ao tempo histórico que a impôs como contraponto necessário e propiciador. Uma fase propiciatória, portanto. Em outros termos, uma sociedade liberta de dinâmicas "alienadas" – para reintroduzir vocabulário em desuso – tornaria a preguiça um recurso desnecessário, já que ali o trabalho não seria alienado. Caçar e pescar pela manhã e, à tarde, fazer crítica literária. Tudo isso, contudo, parece exigir mobilidade e esforço. Na verdade, agraciados nesse patamar superior pela obrigação de usufruir da felicidade pública, reincidir na pura preguiça significaria desistir da autonomia conquistada. Assim como as revoluções devem, em algum momento, interromper seu ímpeto, a preguiça a serviço da instauração da boa sociedade esgota-se como recurso legítimo uma vez bem-sucedida.

A preguiça, assim posta, é algo que nos permite reconhecer a "loucura" das massas trabalhadoras, contaminadas por uma estranha ética de amor ao trabalho. A voz de Paul Lafargue faz-se ouvir nessa modalidade de percepção das virtudes propiciatórias da preguiça. Sem tergiversações, Lafargue definia o apego proletário ao trabalho como sintoma de uma "estranha loucura": "Esta loucura consiste no amor ao trabalho, na paixão moribunda pelo trabalho, levada ao extremo aniquilamento das forças vitais do indivíduo e dos seus descendentes."[1]

O combate à forma social que pôs o trabalho na condição de objeto de adoração – uma adoração exercida por parte daqueles que o sofrem – não se pode sustentar por meio de simples afirmação do "direito ao trabalho", mas sim na defesa de um novo direito, pelo qual trabalhadores, "que produzem como maníacos" e "embrutecidos pelo trabalho", desfrutem do que resulta de seus esforços: "é preciso domar a extravagante paixão dos

[1] Cf. Paul Lafargue, *O direito à preguiça*, Lisboa: Dom Quixote, 1971, p. 15.

operários pelo trabalho e obrigá-los a consumir as mercadorias que produzem".[2]

A preguiça assim sustentada põe-se a serviço de uma nova modalidade de inserção social. Já não se apresenta como recusa do movimento *tout court*, mas como crítica a movimentos específicos instituídos por uma dinâmica social particular, a do capitalismo industrial. Seu exercício é propiciador da constituição de sujeitos coletivos "indóceis", para utilizar a terminologia de Ortega y Gasset, que falava, em *A rebelião das massas*, de massas "indóceis frente às minorias; (que) não lhes obedecem, não as respeitam, e, pelo contrário, olham-nas de lado e ocupam-lhes o lugar".[3] Tal indocilidade, ainda segundo Ortega y Gasset, liga-se a uma ruptura nos padrões de comportamento e de consciência coletiva: "pela primeira vez encontramo-nos com uma época que faz *tabula rasa* de todo classicismo, que não reconhece, em nada pretérito, um possível modelo ou uma possível norma".[4] Em resumo, da preguiça lafarguiana passa-se – de modo um tanto heterodoxo, concedo – à imagem de um sujeito coletivo para o qual as formas e os valores tradicionais não mais constituem os modos de ação. Perder-se-ia, tal como se referiu Fernando Pessoa, ao falar do comerciário Bernardo Soares, no *Livro do desassossego*, "todo o respeito": "Pertenço a uma geração [...] que perdeu todo

---

[2] Idem, p. 48.

[3] José Ortega y Gasset, *La rebelión de las masas*, Madrid: Alianza, 1997, p. 55.

[4] Idem, p. 67.

o respeito pelo passado e toda crença ou esperança no futuro. Vivemos por isso do presente com a gana e a fome de quem não tem outra casa."[5] O desdobramento político, ainda no Pessoa do *Livro do desassossego*, não surpreende: "Seríamos anarquistas se tivéssemos nascido nas classes que a si próprias chama desprotegidas, ou em outras quaisquer de onde se possa descer ou subir."[6]

É de temer pela consistência da ideia de preguiça diante de imagens tais como defesa ativa do direito ao ócio, indocilidade e perda de respeito. Parece-me que uma escolha deve ser feita: ou ficamos com a defesa da preguiça ou organizamos um movimento de resistência ao mundo do trabalho alienado, no qual o tema da preguiça terá tão somente presença instrumental, já que teríamos diante de nós, para dizê-lo de modo moderado, imensas atribulações. A meu juízo, trata-se de defesa instrumental da preguiça. Ora, a preguiça é algo que se afirma como experimento privado e íntimo: o lugar apropriado do seu desfrute é a alma e o corpo do próprio preguiçoso. A ideia de um movimento ativo de preguiçosos soa como contrassenso.

Uma alternativa ao trabalho alienado – se pensarmos o termo "alternativa" como algo que implica reconfiguração de um espaço público e comum – exige a construção de identidades coletivas ativas. Requer, portanto, esforço e construção de sujeitos coletivos. Gosta-

[5] Cf. Fernando Pessoa, *Livro do desassossego*, Lisboa: Assírio & Alvim, 1998, p. 469.

[6] Idem, p. 428.

ria de sustentar que a preguiça, por definição, só pode habitar sujeitos individuais. Um eventual proselitismo da preguiça, ainda que possa falar para muitos, visa falar para cada um de nós, individualmente. É neste sujeito individual que localizaremos a sede genuína da preguiça. Neste sentido, ela - a preguiça - não augura qualquer forma consistente ou, ao menos, tangível de ordem. Ela é a retração a qualquer ordem, já que representa o reconhecimento de que o grau mais alto de autonomia de um ser humano, tomado como indivíduo, reside em nada fazer, nem mesmo em se associar ativamente àqueles que decidem nada fazer. A verdadeira preguiça deverá ser intransitiva. Seu operador prático é um sujeito no qual autonomia e negatividade se encontram de modo compulsório. A preguiça, a sério, é a pura cessação de movimento - ou *apraxia*.

Reconheço que há imenso interesse histórico e político no tema da preguiça, mas tal ângulo implica atribuir-lhe um papel prático e específico no mundo das coisas. Sua incidência será, portanto, relativa e contingente. O limite do argumento histórico-político é o âmbito da preguiça prática. O interesse filosófico no tema da preguiça, por outro lado, propicia sua consideração como algo absoluto: o modo de sustentar o absoluto da preguiça não pode depender de argumentos de natureza histórica ou política. É tal impedimento, tanto formal como substantivo, que prepara o salto necessário na direção da metafísica.

Passagem à metafísica

Resisti à sedução da preguiça prática. Considerei-a um ângulo afetado por uma perspectiva instrumental, como se a preguiça fosse uma reserva moral ou política para permanecermos, de algum modo, residentes, ainda que resistentes, no mundo do movimento e das rotinas sociais. Mesmo que reconheça na defesa da preguiça fundamento para valores, digamos, anti-hegemônicos, importa-me pensá-la fora de qualquer utilidade extrínseca, e não como apoio à crítica social.

A preguiça prática parte de uma configuração que opõe o sujeito a um tipo de experiência externa a si mesmo. Assim disposta, apresenta-se como recusa e retração, não podendo, pois, prescindir do primado da experiência, que lhe proporciona oportunidade de expressão. O mundo exterior e suas requisições definem, portanto, as possibilidades práticas de manifestação da preguiça. A defesa da preguiça, em tal configuração, não deixa de estabelecer um regime de fixação dos humanos no mundo, no pleno universo das contingências.

Importa-me, em direção diversa, imaginar a experiência da preguiça como algo inerente ao sujeito mesmo, fora de sua relação com a experiência. Algo que se dá, para dizê-lo de outro modo, em sua experiência consigo mesmo, em sua relação com suas próprias crenças constitutivas. Algo que, à falta de melhor termo, poderíamos denominar *preguiça metafísica*, por oposição a uma *preguiça ontológica*, ou mesmo preguiça epistemológica, preâmbulos necessários para a *preguiça prática.*

A preguiça ontológica pode ser definida como uma vivência psicológica dotada do seguinte enunciado: "é-me penoso estar neste mundo"; à preguiça epistemológica, de sua parte, corresponderia a sentença "é-me penoso pensar". No primeiro caso, ausência de propensão à ação e ao movimento; no segundo, indisposição ao pensamento, misologia. Cabe-me, na sequência, imaginar o modo próprio de expressão da preguiça metafísica. Mas, antes disso, algo deve ser dito a respeito das razões para uma metafísica da preguiça ou para uma representação/vivência da preguiça enquanto metafísica.

O que se apresenta, portanto, é o desafio de pensar a preguiça fora do âmbito de referência a qualquer experiência prática. O repto decorre da recusa em representar a preguiça como algo predicável da experiência, mesmo que por negação. Como predicado da experiência, o significado da preguiça será sempre dado por aquilo do qual ela necessariamente decorre, ou seja, a própria experiência. A preguiça seria mera replicação negativa do que a alimenta, condenada, portanto, ao contraponto com o que nega e refuta, mas não pode deixar de depender como garantia de consistência. Já pensar algo fora de qualquer dimensão experimental exige aproximação com a metafísica, e é bem isso que desejo explorar: uma abordagem metafísica da preguiça.

Várias razões levam-me a esta alternativa de abordagem. Antes de tudo, penso que as questões verdadeiramente radicais são questões que devem ser postas – e assim postas apenas – de modo metafísico, já que não limitadas por conveniências factuais. Questões factuais, por sua vez, são necessariamente precedidas da inapelável preexistência do que há. Só o vislumbre metafísico autoriza a ficção a ir ao fundo das coisas; o terror como forma de vida é algo que decorre da experiência prática de querer ir ao fundo de tudo. A experiência com o absoluto é, pois, algo necessariamente metafísico.

O mundo factual, espaço e lugar de possíveis particulares e relativos, é ele péssimo abrigo para experiências com o absoluto. O absoluto que nele se buscar – que é o que ocorre quando a atividade de busca passa ao ato – dá trânsito ao absoluto da ação que simula em seu excesso a detenção impossível do absoluto metafísico. Auschwitz, neste sentido, é uma das passagens possíveis da metafísica ao ato: toda ambição de materialização metafísica exige o excesso e o extraordinário como norma de comportamento.

A metafísica não é apenas perigosa, ela é mesmo inevitável. Daí o imperativo de sua circunscrição, não só como marca de distinção disciplinar, mas como indicador de acesso a protocolos admissíveis de frequentação. Em outros termos, não se buscará nos abismos da metafísica soluções substantivas para dramas ordinariamente humanos, assentados em conflitos de valores e de percepções. O máximo que a metafísica poderá nos dar nesses casos – ou melhor, o mínimo necessário de precipitação metafísica que necessitamos em nossos assuntos práticos – revestir-se-á em uma filosofia de segunda ordem, que recomendará a adoção de procedimentos razoáveis e universalizáveis para lidar com o conflito de valores, este, em si mesmo e enquanto tal, insolúvel.

A inquirição metafísica sustenta-se na possibilidade de realizar juízos que não se limitem aos fatos ou à experiência; juízos que não se confundem com a experiência dos fatos e que contêm, muitas vezes, formas metafísicas de pensar. A formulação posta por António Marques bem ajuda a esclarecer os termos:

> *As formas metafísicas de pensar irrompem em variadíssimos contextos e basta haver a possibilidade de realizar juízos que não se limitem aos factos ou à experiência, para que essa forma de pensar possa surgir mais ou menos disfarçada, ou perfeitamente às claras.*[7]

Uma pergunta não factual por excelência pode bem ter o seguinte enunciado: "O que há?" A pergunta-fórmula parafraseia o título de um ensaio seminal de Willard van Orman Quine, "Sobre o que há", de 1949.[8] Diante da pergunta, poderíamos responder por enumerações sucessivas de objetos que, em um primeiro momento, aparecem em nosso campo de visão. Diante da inevitável não exaustividade da enumeração, passaríamos a considerar

[7] Cf. António Marques, *O essencial sobre metafísica*, Lisboa: Imprensa Nacional-Casa da Moeda, 1987, p. 5.

[8] Ensaio publicado entre nós, com ótima tradução de Luis Henrique dos Santos, no volume *Ryle, Strawson, Austin, Quine*, da coleção "Os Pensadores", São Paulo: Abril, 1973.

séries cada vez mais extensas de objetos e eventos para além do que percebemos, aí incluindo registros de experiências vividas por outros sujeitos e tudo aquilo que a imaginação puder nos proporcionar. Por mais extensa e fantástica que seja a enumeração – assemelhada à visão da Biblioteca de Babel, de Jorge Luis Borges, que continha todos os livros já escritos, todos os que ainda não o foram e suas refutações –, ainda assim o formulador da pergunta "o que há?" poderia apresentar razões invencíveis para estar ainda muito insatisfeito com nossas respostas. Mas o que há de errado nessas respostas?

Há nelas, na verdade, um erro básico: o de fornecer respostas experimentais – e, portanto, finitas e contingentes – a uma pergunta metafísica. Os termos da pergunta prestam-se, com certeza, a alguma confusão, na medida em que o verbo "haver" dá passagem a suposições de existência e factualidade, e essas bem podem ter abrigo em sentenças que designam coisas fixadas no mundo da experiência. Os próprios termos usados por Quine no ensaio mencionado estavam a serviço de um "compromisso ontológico", mas o alcance da questão possuía indisfarçável cariz metafísico: tratava-se de especular a respeito das condições da existência. Não há, pois, resposta experimental exaustiva a ponto de satisfazer uma questão metafísica. É um pouco o que nos dizia Kant, quando asseverava que "a totalidade absoluta de toda a experiência possível não é, ela mesma, uma experiência".[9]

---

[9] Cf. I. Kant, *Prolegomènes à toute Metaphysique Future*, § 40, Paris: J. Vrin, 1968, p. 106.

Neste sentido, pus-me como questão o seguinte problema: como pensar a preguiça como "totalidade absoluta"? Ou, se quisermos, como conceber o absoluto da preguiça? Com tais perguntas em mente, já não mais posso ser satisfeito com exemplos, posto que possuído pela atração do abismo da definição absoluta.

Uma forma filosófica possível para a indagação a respeito do absoluto da preguiça pode ser encontrada em uma antiga e bela fórmula, posta pelo pensador medieval Anselmo de Cantuária, o santo Anselmo dos católicos. Anselmo, no longínquo século XI, propôs-se, em uma das obras de abertura da escolástica medieval – o *Proslógio* (ou Meditação) –, a desenvolver uma prova da existência de Deus não dependente nem de argumentos de autoridade nem da preexistência de imperativos de crença.[10] Tratava-se de estabelecer, por argumentos racionais e lógicos, a necessidade de Deus, para além de suas manifestações por meio da revelação e do mistério da fé. A busca do absoluto distancia-se, assim, tanto do contingente e gracioso da revelação como da irredutibilidade ao racional, inscrita no âmbito da crença.

Para tal, Anselmo imaginou um truque conceitual – um operador filosófico –, formalizado na expressão "ser

[10] Anselmo de Cantuária, *Proslógio*, in: *Santo Anselmo de Cantuária e Pedro Abelardo*, coleção "Os Pensadores", São Paulo: Abril, 1973. Para uma análise apurada dos argumentos anselmianos, ver o incontornável livro de Karl Barth, *Fides quaerens intellectum: La preuve de l'existence de Dieu d'après Anselme de Cantorbéry*, Neuchâtel: Delachaux & Niestlé S.A., 1958. Fernando Gil desenvolveu interpretação iluminada em *A convicção*, Porto: Campo das Letras, 2003.

do qual não se pode pensar nada de maior".[11] Trata-se de uma arma para demonstrar ao que não sabe – o insipiente – a existência necessária de Deus. Anselmo parte da evidência de que a expressão "ser do qual não se pode pensar nada de maior" é algo que pode ser escutado e compreendido, mesmo por insipientes. Assim sendo, acrescenta outro passo importante na demonstração:

> *[...] aquilo que ele – o insipiente – compreende se encontra em sua inteligência, ainda que possa não compreender que existe realmente [...] o insipiente terá que convir igualmente que existe na sua inteligência "o ser do qual não se pode pensar nada de maior", porque ouve e compreende essa frase; e tudo aquilo que compreende encontra-se na inteligência.*[12]

Da *inteligibilidade lógica* da expressão passa-se ao domínio da *necessidade ontológica*, em salto de consequências nada desprezíveis: ora, um ser de tal natureza, dotado de uma perfeição além da qual nenhuma outra é possível, não pode existir apenas no pensamento: deve existir também no mundo, sob pena de violar a regra do *nec plus ultra* (nada de maior). Na passagem, a necessidade lógica faz-se pressuposição de existência:

> *[...] "o ser do qual não é possível pensar nada maior" não pode existir somente na inteligência. Se, pois,*

[11] Idem, p. 102.

[12] Idem, p. 102.

existisse apenas na inteligência, poder-se-ia pensar que há outro ser existente também na realidade; e que seria maior.

[...] se [...] existisse somente na inteligência, este mesmo ser do qual não se pode pensar nada de maior tornar-se-ia o ser do qual é possível, ao contrário, pensar algo maior: o que certamente é absurdo.[13]

Proponho-me, nesta trabalhosa reflexão sobre a preguiça, tema um tanto distante das preocupações originais de Anselmo, a seguir parte da pista por ele aberta. Desde já, não se trata de provar existências, muito menos a de Deus, mas de partir da seguinte imagem: uma preguiça além da qual não se pode pensar nada de maior. A imagem pode ser refeita e posta como indagação: quais os efeitos possíveis da aplicação do princípio do *nec plus ultra* sobre a ideia de preguiça?

A pergunta, parece-me evidente, não pode ser considerada nos termos da preguiça prática, por motivos simples: diante de um preguiçoso prático sempre se poderá pensar em – ou mesmo indicar – alguém ainda mais preguiçoso, sendo, pois, fugidia a imagem de uma preguiça além da qual nenhuma preguiça maior pode ser pensada. É essa a razão básica da orientação metafísica: questões dessa natureza não podem, por maioria de razão, ser experimentais, pois, sendo o reino da experiência o domínio dos particulares possíveis, tal domínio não

[13] Idem, p. 102.

pode conter o absoluto, sob pena de descaracterizar-se como meramente possível.

A radicalidade da pergunta, que parece conduzir a uma metafísica da preguiça, ultrapassa, portanto, a consideração da preguiça como valor; como reserva ética para lidar com a imparável aceleração da vida, com a perda dos sentidos ordinários da experiência. Interessa-me pensá-la, portanto, em sua expressão máxima e, neste sentido preciso, anselmiana: uma preguiça além da qual nenhuma outra pode ser cogitada. Para tal, o que se impõe à inspeção não é a relação entre sujeito e o mundo, os avatares de sua experiência prática ou as táticas de evasão existencial que desenvolve.

Em direção distinta, trata-se de inspecionar que estratos epistêmicos mais fundos devem estar presentes como condição para uma des-sensibilização para com a experiência do mundo. Mais uma vez, trata-se menos de inscrever a preguiça como recurso de reserva para permanecer no mundo e resistir à sua aceleração e mais de imaginá-la em seu fundamento epistêmico, como base para um sujeito metafisicamente preguiçoso, ou um preguiçoso metafísico, o único a poder desfrutar da preguiça como dimensão absoluta. Para tal, devo investigar que arranjos em suas intuições mais profundas se fazem necessários.

Parto, de uma forma parasitária e pragmática, de alguns argumentos críticos, desenvolvidos pelo filósofo norte-americano Charles Sanders Peirce, dirigidos às ideias de introspecção, intuição e evidência, para estabelecer as propriedades necessárias da preguiça como metafísica. Devo dizer que o recurso a Peirce é, no mínimo, perigoso, pois trata-se de autor para quem os termos da preguiça que procuro estabelecer neste ensaio seriam – imagino – simplesmente inaceitáveis. Assim mesmo tomo-o como referência e passagem para apresentação de meu argumento.

Após breve incursão peirciana, concluirei com a inspeção de duas modalidades de inscrição no mundo nas quais os operadores da metafísica da preguiça, a meu juízo, se fazem presentes: a noção de *ataraxia* – imperturbabilidade ou tranquilidade –, posta pelo ceticismo pirrônico e registrada no século III da Era Comum pelo filósofo cético alexandrino Sexto Empírico, e a interpretação do *Schabat*, desenvolvida pelo rabino Abraham Joshua Heschel, em livro luminoso, publicado em 1951. Ambos configuram o que poderíamos designar como exemplos de *metafísica prática*. Pela expressão – quase um oximoro – pretendo circunscrever um modo de estar no mundo fixado pelos operadores da metafísica da preguiça. Ao fim e ao cabo, busco tão somente formular, temo que por meio de uso abusivo de ideias confusas e indistintas, um argumento e de modo algum qualquer demonstração. Afinal, o próprio Anselmo acabou por demitir-se de seu racionalismo demonstrativo e clamou pela aparição do rosto de Deus.[14] Como não posso – por razões de crença e de primeira filosofia – alimentar ex-

[14] Ver, em especial, o capítulo 1 do *Proslógio*, "Exortação à contemplação de Deus", no qual Anselmo põe-se na posição do "servo" que se dirige a Deus como alguém que "suspira só por ti e não conhece o teu rosto". Cf. *op. cit.*, p. 99.

pectativas de tal natureza, basta-me a intuição do que poderia ser o rosto metafísico da preguiça.

Da preguiça enquanto metafísica

O filósofo norte-americano Charles Sanders Peirce, a certa altura, declarou que a introspecção é um estado impossível de ser atingido: não temos, na verdade, qualquer poder em obtê-la. Da mesma forma, afirmou que nossa capacidade de intuição, no sentido filosófico do termo, é nula.[15] Somos seres fixados existencialmente em uma longa série temporal, por definição mais extensa do que é capaz de reter qualquer um de seus instantes. Em outros termos, nenhum instante particular desta série – e é imperativo estar em algum momento desta série – qualifica-se como capaz de dar passagem a algo como o vislumbre de uma intuição ou de uma evidência. Somos, por decorrência dessa fixação existencial, acossados, todo o tempo, pela materialidade do espaço, presente nos incontáveis encontros com outros sujeitos e com os objetos do mundo. Seres do movimento, por definição, não se qualificam para o exercício da introspecção e da intuição genuínas, modalidades de afastamento radical, capazes de apagar todas as suas pistas e projeções de permanência no mundo das coisas finitas. Ambas, introspecção e intuição, suspendem o mundo da experiência, calcado no fluxo

[15] Charles Sanders Pierce, *Philosophical Works*, Mineola, NY: Courier Dover, 1955 (1868), vol. 2, p. 213.

do tempo e em seu rebatimento espacial. A experiência é, pois, algo da ordem de uma conexão imperativa entre espaço e tempo.

Se pensadas de forma radical, tanto a introspecção como a intuição são modalidades de experiência epistêmica que pressupõem a possibilidade de pensarmos sem signos. Uma evidência ou uma intuição são modos de afetação do espírito anteriores à linguagem que empregamos para nomear o vislumbre que ambas nos proporcionam.[16] Essa, na verdade, é a forma pela qual o pensamento da intuição, assim como o da evidência, pensa poder contornar as armadilhas do nominalismo: o nome é por definição algo da ordem do que se acrescenta à intuição; de forma alguma daquilo que a precede. Foi esse o sentido do que Nietzsche disse a respeito de Tales de Mileto: "Assim contemplou Tales de Mileto a unidade de tudo que é: e quando quis comunicar-se, falou da água!".[17] Pela passagem de Nietzsche tem-se a medida exata do quanto a intuição distingue-se da linguagem que, por meios finitos, procura exprimi-la.

Não há, pois, intuição que seja cativa de um nome, já que a finitude semântica necessária e inscrita no nome, e na própria finitude existencial de quem o diz, estará

---

[16] Remeto aqui ao genial ensaio de Fernando Gil, "Aquém da existência e da atribuição: crença e alucinação", in: Fernando Gil, *Modos da evidência*, Lisboa: Imprensa Nacional-Casa da Moeda, 1986.

[17] Cf. F. Nietzsche, *A filosofia na época trágica dos gregos*, § 3, in: José Cavalcante de Souza (sel.), *Os pré-socráticos: fragmentos, doxografia e comentários*, São Paulo: Abril Cultural, 1978, coleção "Os Pensadores", p. 12.

sempre aquém daquilo que a intuição promete proporcionar ao espírito.

Esse, na verdade, é o abismo no qual sucumbem todas as filosofias da evidência, obrigadas a acrescentar nomes a suas intuições originais. Partem, portanto, da crença na ilimitação da evidência e colapsam no limite do nome. Para Peirce, a impossibilidade do pensamento sem signos interdita o usufruto da introspecção e de seus derivados – a intuição e a evidência. Pode-se a isto acrescentar que vivemos em um mundo povoado por nomes finitos, que parte alguma possuem com o absoluto. Este mesmo – o termo "absoluto" – terá os significados finitos e contingentes que lhe forem atribuídos: supô-lo revelador de um absoluto além do nome é uma das formas relativas possíveis de atribuição de sentido.

De outro ângulo, a pretensão à introspecção associa-se, de modo necessário, à perpetuação e à absolutização do instante na qual ela se dá, o que pressupõe a instauração de um regime para lidar com a relação entre tempo e espaço. A introspecção é da ordem da sincronia – pois dá-se em um instante – ou, se calhar, da acronia – ou atemporalidade –, já que o desejo que a anuncia pressupõe a desconsideração da experiência do tempo como fluxo. O instante da introspecção é destacado do fluxo do tempo e converte-se naquilo que Abraham Joshua Heschel belamente designou como uma "simulação da eternidade".[18] Com efeito, não é a série de atos infinitesimais e, portan-

[18] Cf. Abraham Heschel, *O Schabat: seu significado para o homem moderno*, São Paulo: Perspectiva, 2000.

to, finitos que a precedem que dá sentido à introspecção. Antes o contrário, a introspecção rebela-se contra a série de eventos discretos que a precede. Se assim não fizesse, desfazer-se-ia e acabaria por reconhecer a inevitabilidade do vínculo do sujeito ao turbilhão do mundo.

Peirce, na verdade, afigura-se como péssima companhia para fundar uma metafísica da preguiça. Ao contrário, se nele há metafísica – e parece-me evidente que há –, trata-se de metafísica alicerçada em um forte vitalismo que interdita aos humanos a experiência da imobilidade. Mas, exatamente por isso, acaba por indicar os termos que devem ser subvertidos para que o princípio da preguiça metafísica possa ser pensado e enunciado. Ou seja, a refutação metafísica da preguiça estabelece os termos nos quais a metafísica da preguiça pode ser exprimida.

A filosofia de Charles Sanders Peirce baseia-se na aceitação ontológica do turbilhão, como dimensão ineluctável. Mais do que isso, insurge-se contra as filosofias da evidência, assentadas na possibilidade do instante eterno da introspecção como via para a intuição. A premissa do turbilhão incontável das coisas pressupõe um regime no qual tempo e espaço interagem e alimentam-se reciprocamente: movimento e mutação resultam da combinação entre tempo e espaço. Uma dupla descrição se torna, então, possível: o movimento releva de um espaço movido pelo tempo e de um tempo que exerce seu fluxo sobre o espaço. Somos seres de uma série temporal, histórica e, mais do que tudo, hipotética. Não nos é dado interromper o fluxo e fixar um instante sincrônico nessa série como momento privilegiado para um distanciamento do mundo e para a suspensão do tempo; não nos é dada, igualmente, a experiência do espaço sem a operação da intuição de tempo.

Mas o que dizer da preguiça, a partir dessas razões de primeira filosofia? Há um atrator logicamente possível entre as ideias de introspecção e preguiça. O suposto, ao que parece, incontroverso é o de que não há extroversão possível na preguiça genuína (ora essa, um preguiçoso extrovertido!). Tampouco parece haver na preguiça desejo de coextensividade com o fluxo do tempo e com um espaço por ele afetado. Se for para valer, a preguiça exige ataraxia (imperturbabilidade), apraxia (suspensão da ação) e afasia (recusa a nomear e a predicar).

Ou, se quisermos, mais do que isso, ela – a preguiça – exige a suspensão da associação entre tempo e espaço. Nessa chave, a preguiça pode ser pensada como retração a uma das formas apriorísticas da sensibilidade: ou ao tempo, desprovido do espaço, que é condição para que dê passagem ao movimento das coisas; ou ao espaço, dissociado do tempo, como sede de uma imobilidade e de uma sensação de acronia, ou dissociação com o fluxo temporal. De qualquer forma, trata-se da recusa da associação entre tempo e espaço. Tal recusa inscreve-se no fundamento da metafísica da preguiça.

Na ausência da intuição de tempo, a intuição de espaço se faz domínio marcado pela imobilidade; na ausência da intuição de espaço sobrevém uma intuição de tempo sem suporte para a duração, para o fluxo das coisas. É, com efeito, a intuição do tempo que permite que o espaço seja igualmente intuído como o lugar – a sede – do movimento. De modo simétrico, a intuição de espaço é condição para que o tempo seja percebido como fluxo, como dimensão cronológica na qual o movimento das coisas fixa seus objetos e suas sucessões. Convenhamos, como pensar o movimento sem a intuição de um regime de associação entre tempo e espaço?

Se a preguiça puder ser vista como a supressão do tempo, o espaço tenderá a ser tomado como o âmbito de sua imobilidade. Do contrário, teríamos que aceitar a razoabilidade da ideia de uma preguiça hipercinética. Se for vista como a supressão do espaço, o tempo perde sua referência exterior para que se configure como fluxo, como sede da mutação, ou como queria Aristóteles, como número do movimento, segundo o antes e o depois.

A metafísica parece proporcionar a única oportunidade para a experiência da dissociação entre tempo e espaço. Nada há, com efeito, de mais avesso à experiência ordinária. Nossa própria percepção do presente – como cotidiano – o representa como uma unidade de tempo formada por intervalos heterogêneos e não comparáveis, cada um dos quais depende, até pelo seu comprimento, do número e da complexidade dos eventos percebidos.[19] Ora, a sucessão e a interligação entre tais eventos não podem dispensar a operação de uma sensação espacial. De qualquer modo,

[19] Krysztof Pomian, "Tempo/temporalidade", in: Fernando Gil (coord.), *Enciclopédia Einaudi*, 29. *Tempo/Temporalidade*, Lisboa: Einaudi/Imprensa Nacional-Casa da Moeda, 1993, p. 11-91.

trata-se de pensar a experiência do tempo como dimensão mensurável e que, como tal, exige a presença de eventos espaciais discretos. A própria necessidade de marcação do tempo indica a vigência de uma forma de vida dominada pelo tempo mensurável. O tempo mensurável parece mesmo ser onipotente: é a interposição de eventos espaciais discretos que exige presença ou, ao menos, atenção ao mundo do espaço, algo que está na raiz da expressão "Não tenho tempo para mais nada".

Não há mensuração sem teoria do espaço: a numeração do tempo é uma exigência do espaço, de algo exterior ao tempo. A mensuração não é inerente ao tempo. Em outros termos, é a interposição do espaço que torna o tempo mensurável. Toda projeção de tempo implica a postulação de um regime de ocupação do espaço: todo desenho de uma ação futura deve ser submetido a operadores sob a forma de perguntas tais como "Onde?", "Em que lugar?".

Minha incursão metafísica, a essa altura, se apresenta como abertamente hipotética: como seria um estado perceptual no qual uma das duas dimensões é esterilizada (basta esterilizar uma)? Tal hipótese conduz à metafísica da preguiça. A preguiça, no viés aqui esboçado, apresenta-se como pretensão de confundir-se ora com o espaço que a contém, livrando-o, ao mesmo tempo, da erosão do tempo e do fluxo, ora com o tempo, livrando-o das intuições de movimento. A associação entre tempo e espaço – como dissolução do espírito, como passagem para a operação das urdiduras causais e como projeção no imponderável e ignoto – é inimiga da introspecção mais radical possível: o usufruir de uma experiência do sujeito consigo mesmo, esvaziada de símbolos e signos.

Menos do que atestar a consistência existencial dos experimentos de dissociação entre tempo e espaço, importa descrevê-los. Ainda que inatingíveis, tais estados permanecem como horizontes e referências para versões a respeito do que deva ser uma vida boa. Ao fim e ao cabo, e qualquer que seja o resultado, a preguiça, na chave aqui indicada, parece exigir imenso trabalho.

MODOS DA METAFÍSICA DA PREGUIÇA

1. O cético: ataraxia e suspensão do tempo

Uma passagem clássica, retirada de uma das obras de Sexto Empírico – filósofo e médico alexandrino do século III da Era Comum e autor de duas obras essenciais para o entendimento do ceticismo grego –, ajuda-nos a identificar o núcleo central da argumentação cética. É necessário expor, ainda que de modo breve, tal núcleo, para que o tema da ataraxia emerja com alguma nitidez. A passagem referida define o ceticismo como uma disposição (*dynamis*), ou atitude mental, que opõe diferentes pretensões de verdade a respeito da real natureza das coisas. Uma natureza distinta do modo pelo qual as coisas parecem ser. Trata-se da distinção entre ser e parecer. Os juízos sobre como as coisas parecem ser são tão variados quanto as observações que os humanos fazem a respeito do mundo.

De modo distinto, os chamados filósofos dogmáticos afastam-se dos juízos variados e imperitos do vulgo, presos a considerações a respeito das aparências, e pretendem dizer-nos algo a respeito do que são as coisas em si mesmas, para além da confusão perceptual e interpretativa. Tal obsessão de dizer a verdade sobre a natureza das coisas é antiquíssima e constitui um elemento central já da primeira especulação filosófica, desenvolvida entre os gregos pelos seus pensadores originários, designados pela posteridade como pré-socráticos.

O ceticismo como corrente filosófica desenvolveu-se a partir do século IV antes da Era Comum, com a figura de Pirro de Élis, do qual praticamente nada se sabe. Sabemos, na verdade, por negação: tal como Sócrates, Pirro nada escreveu. Relatos sobre seus ensinamentos são escassos, mas um deles revela elementos que estarão presentes na história ulterior do ceticismo. Trata-se da ideia de que as coisas em si mesmas são indeterminadas; ou seja, não podemos assegurar que sejam de um determinado modo ou de outro. Os juízos emitidos a respeito dessa natureza são sempre contraditórios e incompatíveis.

Tales de Mileto, por exemplo, lá pelos idos do século VI anterior à Era Comum julgou que todas as coisas existentes provinham de um princípio originário – *arché* – que para ele seria a água. Nenhum de seus discípulos, de modo um tanto estranho, o seguiu: Anaximandro preferiu atribuir a origem de tudo a um elemento ilimitado e amorfo – o *ápeiron* –, enquanto Anaxímenes fixou-se no ar como fundamento de todas as coisas que observamos. A listagem é longa, e a filosofia, mesmo em sua infância, já apresentava um cenário de diversos sistemas de afirmação de verdades sobre a natureza das coisas, sem qualquer perspectiva de convergência.

Diante de tamanho desacordo, a disposição inaugurada por Pirro, no século IV, passa a perceber os juízos em disputa como *equipolentes*, isto é, dotados de idêntica força e plausibilidade. Em outros termos, trata-se de juízos equivalentes em suas pretensões de verdade, em um estado de equilíbrio e, por consequência, de indecidibilidade. Para o cético tal estado acaba por conduzir à suspensão (*epoché*) de seu próprio juízo. Diante de juízos rivais a respeito da natureza do mundo ou do fundamento de alguma questão, o cético recusa-se a dar assentimento a quaisquer das proposições em disputa, ao mesmo tempo que não se dispõe a sustentar que alguma delas seja falsa. Tal atitude de suspensão, uma vez obtida, proporciona um estado de tranquilidade, ou de ausência de perturbação (ataraxia).[20] A ataraxia repousa, sobretudo, na desistência em dizer o que as coisas são verdadeiramente e por natureza. Ou, simplesmente, em dizer que algo é. Uma das implicações da suspensão cética é passar a dizer tão somente "algo parece ser" ou, de modo mais radical, "parece que há algo".

Três características cruciais do ceticismo pirrônico estão já contidas nessa rápida referência, a saber:

---

[20] Cf. Sextus Empiricus, *Outlines of Pyrrhonism* (HP), I, 8, in: Sextus Empiricus, trad. R.G. Bury, Cambridge/London: Harvard University Press/Heinemann, 1987. Para uma tradução mais recente, ver: *Sextus Empiricus: Outlines of Scepticism*, trad. Julia Annas e Jonathan Barnes, Cambridge: Cambridge University Press, 1994.

(i) *o princípio da* isosthenéia: *ou equivalência entre juízos dogmáticos a respeito de assuntos não evidentes (adelón), ou fora da nossa percepção ordinária, tais como átomos, hexâmeros, substâncias, formas etc.;*

(ii) *a atitude da* epoché *(suspensão), que se impõe diante de diferentes juízos discrepantes com pretensão de verdade, plausíveis porém inverificáveis;*

(iii) *o desfrute da* ataraxia: *um estado de quietude, ou ausência de perturbação, que sobrevém com a cessação do ânimo dogmático, por meio de uma interrupção proporcionada pela suspensão.*

A passagem mencionada corrobora a referência de Arístocles de Messena, um aristotélico do século II (antes da Era Comum), a Tímon, um dos discípulos de Pirro de Élis, reproduzida por sua vez por Eusébio de Cesareia (século III da Era Comum) em sua obra *Preparação para o Evangelho*. Em tal comentário os operadores céticos acima indicados – equipolência, suspensão e ataraxia – aparecem como ações do sujeito a serviço de uma busca por felicidade (*eudaimonia*). Trata-se de interessante associação entre um conjunto de procedimentos de ordem cognitiva, a serviço, porém, de uma finalidade moral, a da obtenção de felicidade ou prazer. Segundo a menção a Tímon, a obtenção da felicidade deriva da consideração de três problemas, aos quais seguem respostas correspondentes, segundo o quadro a seguir:

Problemas	Respostas
Qual é a verdadeira natureza das coisas?	A verdadeira natureza das coisas é indeterminada, sendo nossos juízos a respeito delas nem falsos nem verdadeiros.
Que atitude deve ser tomada diante de tal natureza verdadeira?	Diante da indeterminação do significado real das coisas, a atitude que se segue é a da suspensão, ou não asserção.
O que resultará dessa atitude?	Como resultado dessa suspensão sobrevêm a afasia, a ataraxia e o prazer. <?>

É importante atentar para a ideia de que a natureza das coisas possui caráter indeterminado. Dito de outra forma, não nos é dado tomar como incontroversos juízos que atribuam propriedades imanentes e objetivas e sentidos ocultos para as coisas. É claro que não somos impedidos de proferir tais juízos, e, com efeito, o fazemos o tempo todo. O que os céticos estão a dizer é que parece não estar a nosso alcance fazê-lo de modo incontroverso, de uma forma tal a tornar impossível a formulação de qualquer juízo diverso e alternativo. Em seu combate ao dogmatismo, os céticos não disputam a verdade ou a falsidade de juízos que pretendem revelar o que está além da percepção comum. Argumentam, assim e tão somente, que juízos a respeito de assuntos não acessíveis à experiência comum, ou não evidentes (*adelón*), não são capazes de obter assentimento incontroverso.

O ponto de chegada do percurso equipolência-suspensão é a ataraxia – tranquilidade ou ausência de perturbação. Tal resultado, de acordo com o relato de

Arístocles de Messena, confunde-se com o da obtenção de felicidade. Uma das versões da passagem de Arístocles, como vimos na nota anterior, acrescenta o tópico do prazer. De qualquer modo, o ponto crucial em meu argumento é o de que a ideia de felicidade que aqui se apresenta pode ser tomada como a versão pirrônica da metafísica da preguiça. Duas questões se impõem para tornar o ponto minimamente claro: em que medida a proteção contra os jogos dogmáticos de atribuição de verdades é condição para a felicidade? De que felicidade, afinal, se trata?[21]

Para Sexto Empírico, o homem feliz é conduzido por duas orientações, a saber: (i) nada deve ser, por natureza, objeto de desejo ou aversão; (ii) as inclinações humanas são determinadas por diferenças de circunstância e de tempo.[22] Não há como, portanto, justificar adesões absolutas, mas tão somente circunstanciais. Pode-se, portanto, supor que nessa chave o homem feliz é portador da crença de que nada é intrinsecamente dotado de qualidades objetivas. Nesse sentido, ele não se ocupa da natureza da felicidade. Ao contrário, os que aceitam a existência da objetividade do bem e da verda-

---

[21] Tratei dessa questão de modo mais extenso em Renato Lessa, "Le bonheur des sceptiques: trajets anciens et modernes", in: Benoît Castelnérac; Syliane Malinowski-Charles (orgs.), *Sagesse et bonheur: études de philosophie morale*, Paris: Hermann, 2013, p. 141-57.

[22] Cf. Sextus Empiricus, *Adversus Mathematicus* (M), XI, 118. Retomo aqui o argumento por mim desenvolvido no ensaio "*Vox Sextus*: dimensões da sociabilidade em um mundo possível cético", in: Renato Lessa, *Veneno pirrônico: ensaios sobre o ceticismo*, Rio de Janeiro: Francisco Alves, 1997, p. 156.

de são hospedeiros – potenciais ou reais – de uma vida infeliz.[23] Tal infelicidade decorre tanto da necessidade de perseguir o que se julga ser um bem autêntico, verdadeiro e indispensável, como do espectro sempre presente de privação de seu gozo.

As condições para que a ataraxia conduza à *eudaimonia* parecem agora claras: trata-se de eliminar do campo de reflexão, como tema obrigatório, a questão de saber se existem coisas boas ou más – desejáveis ou indesejáveis – por natureza. A felicidade obtida é, antes de tudo, a ausência de vontade de inserção nos jogos agônicos dogmáticos, na determinação compulsória do que é – e deve ser – verdadeiro. Sobretudo, trata-se de uma recusa a um desenho de um mundo no qual a ação humana exige o estabelecimento de premissas universalmente verdadeiras.

A dimensão existencial da ataraxia pode bem ser atestada no modo cético de lidar com os dogmáticos. Há, também com relação a este ponto, uma passagem esclarecedora de Sexto Empírico, segundo a qual o cético – enquanto *philantropos* – pretende curar pela palavra o dogmático de sua precipitação e do amor desmedido por seu próprio *lógos*. Trata-se de passagem especialmente rica para uma reflexão a respeito da natureza do ceticismo pirrônico, a partir da formalização proposta por Sexto Empírico. Ressalta, antes de tudo, o ânimo terapêutico, orientado por uma perspectiva de aproximação com os demais seres humanos, pelo uso

[23] Cf. Sextus Empiricus, M XI, 111.

do termo *philantropos* e pela imagem da terapia pela palavra – λογω Βουλεται. Mas o que importa destacar, no contexto da busca de um fundamento pirrônico para o absoluto da preguiça, são os traços atribuídos aos dogmáticos, tidos como *precipitados* e *narcisistas*. O ponto merece melhor explicitação.

O dogmático é apresentado, a despeito da disposição filantrópica de curá-lo pela palavra, de modo, no mínimo, desfavorável: ele crê em entidades não evidentes, torna absolutos os termos dessa crença, é precipitado na sua ostensão através do discurso e, por fim, é dotado de incontrolável amor-de-si, quando examina seus próprios juízos. Temos, pois, a persona de um precipitado narcisista, alguém que não hesita em dizer a verdade, ao mesmo tempo que venera a si mesmo como sujeito capaz de proferi-la.

É no contraste com tal persona que a disposição do cético ganha imagem mais vívida. O dogmático, para o cético, aparece, antes de tudo, como alguém que fala em excesso; alguém que se apresenta como um *obcecado pela predicação*. É pela predicação que o dogmático, para além de dogmatizar, exerce sua precipitação. Esta, por sua vez, pode ser compreendida como obsessão de controle sobre o tempo. A precipitação do dogmático implica um regime de captura do tempo futuro: a pressa em dizer o que há – ou, de forma ainda mais evidente, o que será ou deve ser – revela um regime de existência no mundo para o qual o controle do tempo aparece como crucial. A própria estrutura gramatical da predicação denota duração, sobretudo quando preenchida por enunciados no tempo futuro. Não há, com efeito, como pensar a precipitação como ato de projeção no tempo.

A predicação é o suporte gramatical da existência dos humanos. O cético não pode, desta forma, evitá-la. Adota, no entanto, como regime próprio o que poderíamos designar como um "regime de predicação mínima", no qual o operador "é" cede lugar ao operador "parece ser", tal como em famosa asserção de Tímon: "Eu não asseguro que o mel seja (realmente) doce, mas que ele parece ser (doce) eu garanto."[24] Mais do que filigrana discursiva, a escolha do operador "parece ser" como marcador de presença decorre de uma teoria da existência precisa: ao recusar-se a extrair implicações práticas de enunciados dogmáticos, os céticos orientam-se pelo comum ou, em outras palavras, por aquilo que aparece: um mundo constituído por fenômenos cuja ocorrência é compartilhada com outros seres humanos. As obrigações que se impõem ao cético são aquelas tornadas possíveis pela sua experiência com a vida comum, sede de valores e práticas compartilhadas. Em tal domínio, incontáveis formas de predicação apa-

[24] O fragmento pertence a um tratado perdido de Tímon – *Sobre os sentidos* –, citado na *Poética* de Arístocles de Messena, frag. 74; *apud* Charlotte Stough, *Greek Skepticism: a Study in Epistemology*, Berkeley and Los Angeles: University of California Press, 1969, p. 21. O mesmo fragmento aparece em Sexto Empírico: "[...] o mel aparece-nos como doce (e assim o asseguramos, pois percebemos sua doçura por meio de nossos sentidos), mas que seja doce em sua essência é-nos matéria de dúvida, já que não se trata de uma aparência, mas de um juízo a respeito da aparência." Cf. Sextus Empiricus, HP I, 20 (trad. R.G. Bury).

recem como condições necessárias para a vida prática, e com relação a elas a suspensão é impossível, já que o ceticismo não é, de modo algum, uma forma de solipsismo, ou de ensimesmamento e recusa de interação com a experiência do mundo.

A predicação dogmática, de modo distinto, instaura um regime agônico para lidar com o tempo, na medida em que este aparece como o lugar de materialização de verdades absolutas e imperativas. A suspensão cética, mais do que se afastar do conteúdo das proposições dogmáticas, afasta-se de um regime no qual o tempo aparece como marcador fundamental de existência. Desta forma, tomar os fenômenos – aquilo que ordinariamente aparece – como marcadores existenciais traz consigo um elogio da possibilidade de vivência do espaço sem a agonia da precipitação no tempo. É evidente que o cético distinguirá o dia de hoje do de ontem, como bem o fazia, no século passado, John Ellis McTaggart (o que não lhe impediu de refutar a existência do tempo).[25] O que o cético pirrônico parece recusar é a participação em uma metafísica que faz do tempo o lugar de materialização de verdades detectadas pelos *logoi* dogmáticos.

Temos, pois, aqui uma base poderosa para sustentar um argumento a respeito da suspensão do tempo, um dos requisitos por mim postos para a metafísica

[25] Para o argumento de McTaggart, a respeito da não realidade do tempo, ver a ótima edição italiana, com longa e instrutiva introdução, elaborada por Luigi Cimmino, John Ellis McTaggart, *L'irrealtà del tempo* (a cura di Luigi Cimmino), Milano: BUR Saggi, 2006.

da preguiça. Tal argumento dá passagem à vivência de um espaço sem direção predeterminada, sem orientação normativa compulsória para qualquer futuro, sem o imperativo da precipitação e da aceleração, já que *o futuro exige predicação*. Em termos mais concisos, uma afirmação do espaço, sem a agonia da precipitação no tempo.

O tempo, para o dogmático, é lugar de agonia. O dogmatismo exige predicação absoluta, que é uma condição lógica para juízos a respeito do que são e devem ser as coisas. (No limite, sua experiência com o mel de Tímon só se faz inteligível porque educou seus sentidos segundo a métrica de um conceito abstrato e universal de doçura.) A linguagem do dogmatismo exerce-se por meio de predicações absolutas: um juízo dogmático é uma doação de sentido, com pretensões de verdade. Trata-se de dizer o que são – ou devem ser – as coisas, para além do modo pelo qual parecem ser. O cético, ao adotar o critério da aparência, orienta-se por uma predicação mínima, aproximada mesmo da redundância. Para si, o que comumente se define como "realidade" será um efeito de impressões e assentimentos moderados e costumeiros. Tais termos indicam a presença de um sujeito que manifesta um mínimo de envolvimento epistêmico com suas próprias proposições a respeito do mundo.

Para o cético, o fenômeno é o marcador de existência: eis aqui uma representação do tema do critério de realidade que exige uma ambiência espacial, já que o fenômeno retira sua inteligibilidade de conjuntos de circunstâncias que afetam tanto os objetos como os próprios sujeitos da percepção. A metafísica pirrônica da preguiça ergue-se, portanto, sobre uma atitude filosófica de proteção da experiência do espaço contra a precipitação contida no tempo, como objeto de desejo dos obsessivos da predicação. Ainda que ativo, entre os demais humanos, o cético é habitado por uma reserva metafísica preguiçosa, que imuniza o espaço dos jogos de precipitação/predicação responsáveis pela aceleração do tempo e pela agonia dos dogmáticos.

2. O rabino: Schabat e suspensão do tempo

Trata-se, agora, de apresentar um argumento a respeito da supressão do tempo, como fundamento possível para uma metafísica da preguiça. Para tal, tomarei como referência matricial um belo ensaio do rabino Abraham Joshua Heschel, a respeito da ideia e da experiência judaicas do Schabat,[26] publicado em 1951.[27] Um dos aspectos notáveis do ensaio é a presença de uma perspectiva

[26] A transliteração do termo permite a grafia, mais usual, da forma "shabat". Mantenho, no entanto, por razões de unidade, a grafia adotada na tradução brasileira do ensaio de Heschel, que optou por "schabat".

[27] Cf. Abraham Heschel, *O Schabat: seu significado para o homem moderno*, *op. cit.* Um comentário biográfico, mesmo breve, a respeito de Abraham Joshua Heschel excede os limites deste ensaio. Um excelente tratamento pode ser encontrado em Edward Kaplan e Samuel Dresner, *Abraham Joshua Heschel: Prophetic Witness*, New Haven: Yale University Press, 2007, e em Edward Kaplan, *Spiritual Radical: Abraham Joshua Heschel in America*, New Haven: Yale University Press, 2007.

abertamente filosófica que, sem descurar do referente teológico, prescinde da menção litúrgica ou ritual. Não há, como seria expectável em um texto dedicado ao dia santificado do Schabat, menção aos 39 tipos de trabalho que devem ser evitados, no período de tempo compreendido entre os finais de tarde de sexta-feira e sábado. Quem buscar no livro orientações práticas a respeito de como se comportar nesse espaço curto de 24 horas sairá sem respostas precisas, embora preenchido por significados um tanto mais amplos. Minha referência a Heschel acompanhará a ênfase por ele pretendida no ensaio aludido: um conjunto de argumentos filosóficos que, mesmo mantendo com a teologia vínculo indisfarçável, pode ser tomado como exercício de metafísica a respeito da experiência de suspensão do espaço como marcador existencial.

A experiência do Schabat, tal como interpretada por Abraham Joshua Heschel e pela interrupção das rotinas presentes nos demais dias, recusa a "capitulação incondicional do homem ao espaço, sua escravização às coisas".[28] Como alternativa a tal "capitulação", propõe um regime próprio para lidar com o tempo, aproximando-se, dessa forma, de uma experiência de dissociação entre tempo e espaço. Tal regime parte da premissa de que "a civilização técnica é a conquista do espaço pelo homem".[29]

---

[28] Cf. Abraham Heschel, *O Schabat...*, p. 16.

[29] Idem, p. 11 e p. 43.

A primazia conferida ao espaço, como domínio de realização humana, para Heschel, fez-se – e faz-se – com o "sacrifício de um ingrediente essencial da existência, isto é, o tempo": "Na civilização técnica nós gastamos tempo para ganhar espaço." O predomínio do espaço como esfera de realização indica, ainda, a supremacia do *ter* sobre o *ser*. O argumento permite que o principal marcador de existência seja, para Heschel, o tempo: ser e tempo, neste sentido, possuem uma afinidade recíproca e necessária: "O tempo é o coração da existência", premissa também apresentada e desenvolvida por Heschel em um de seus livros mais importantes, *Man Is Not Alone, A Philosophy of Religion*.[30]

Primeira implicação da premissa: "A vida vai mal quando o controle do espaço, a aquisição de coisas do espaço, torna-se nossa única preocupação."[31] O fundamento da "civilização técnica" reside particularmente no desejo de submeter e manipular as forças da natureza. Trata-se, pois, de um investimento no espaço: "A manufatura de ferramentas, a arte de fiação e do cultivo, a arte de construção de casas, o mister na navegação – tudo isso tem lugar no espaço que envolve o homem."[32]

Heschel a isto contrapõe uma proposição teológica: "Deus", para ele, não é referenciável em termos espaciais

[30] Cf. Abraham Heschel, *Man Is Not Alone, A Philosophy of Religion*, New York, 1951.

[31] Cf. Abraham Heschel, *O Schabat*..., p. 12.

[32] Idem, p. 12.

e não pode ser representado, portanto, por uma "noção de que a deidade reside no espaço":

> *Há muito entusiasmo pela ideia de que Deus está presente no universo, mas esta ideia é adotada para significar Sua presença no espaço mais do que no tempo, na natureza, mais do que na história; como se Ele fosse uma coisa, não um espírito.*[33]

O panteísmo, para Heschel, é "uma religião do espaço", uma forma religiosa que exige o modo da espacialidade como condição de inteligibilidade e de culto. De modo alternativo, Heschel imagina uma experiência religiosa sem a referencialidade espacial, como base para uma ética assentada na primazia do tempo, como possibilidade de suspensão – e de observação – do que fazemos no – e com o – espaço.[34]

A primazia do espaço teria sido para Heschel marca do pensamento de Espinosa:

---

[33] Idem, p. 12.

[34] A ênfase de Heschel na dimensão do tempo esteve longe de ser incontroversa entre intelectuais do judaísmo. Trude Weiss-Rosmarin, editora do *Jewish Spectator*, refutou de imediato, já em 1951, as teses de Heschel, para ela sustentadas em "*untenable premisses*". Ao criticar a aversão de Heschel à dimensão do espaço, Weiss-Rosmarin sustentou que "a evidência das fontes judaicas mais autorizadas provam, pelo contrário, que o Judaísmo identifica Deus com o espaço, viz., o uso do termo *makom* – espaço – como sinônimo de Deus na Mishná, no Talmud, na literatura medieval e no uso coloquial da língua hebraica". In: *Judaism* 1, 3 (July 1951), p. 277-78, *apud* Edward Kaplan, *op. cit.*, p. 128. Como veremos no corpo do texto, tal reserva não é seguida por interpretações do Schabat desenvolvidas no âmbito do judaísmo reformista.

> Deus sive natura *tem a extensão ou o espaço como seu atributo, não o tempo; o tempo, para Spinoza, é meramente um acidente do movimento, um modo de pensar. E seu desejo em desenvolver uma filosofia* more geométrico, *ao modo da geometria, que é a ciência do espaço, é significativo de sua inclinação pelo espaço.*[35]

Com efeito, Espinosa pretendeu associar *evidência* e *ação*: ao mesmo tempo que não abriu mão da possibilidade da certeza filosófica, adotou uma ideia de existência que se manifesta na potência do acontecer, ou seja, no domínio da ação. Tal domínio exige a primazia do espaço e do movimento, sendo assim o tempo um acidente, um mero modo de pensar.

A abordagem de Heschel, por oposição, afasta-se do elogio a uma filosofia da ação que não seja precedida pelo pôr-se na perspectiva de uma existência/identidade fixada fora do espaço, no tempo puro e absoluto. Algo, na verdade, muito difícil. A adoção dessa perspectiva contraria um hábito fortemente inscrito na imaginação dos humanos: pensar a existência como algo que se dá primordialmente no espaço: "[...] é no reino do espaço onde a imaginação exerce a sua influência." O rebatimento teológico de tal hábito é imediato: "Dos deuses é preciso ter uma imagem vi-

[35] Cf. Abraham Heschel, O Schabat..., p. 13.

sível; onde não há imagem não há deus",[36] do que decorre a reverência ao monumento, a lugares tidos como sagrados:

> *Em todo lugar a profanação de santuários sagrados é considerada um sacrilégio, e o santuário pode tornar-se tão importante que a ideia que ele representa é destinada ao olvido. O monumento torna-se um auxiliar da amnésia.*[37]

Ou seja, a marca física e espacial, a serviço de uma ideia, acaba por adquirir vida própria e, neste sentido, dá passagem à amnésia: já não sabemos mais por que isto existe. Trata-se da ilusão de combate à amnésia pela fixação de coisas no espaço. Coisas, por definição, sujeitas aos jogos do esquecimento, ou das memórias conflitantes e múltiplas, de múltiplos deslocamentos possíveis de sentido. A fixação no espaço, assim, não é condição suficiente para a memória, antes o contrário: estando "as coisas do espaço [...] à mercê do homem", estarão sempre sujeitas ao esquecimento de seus motivos originários.

Abre-se, aqui, a alternativa de pensar a relação entre tempo e memória: a memória sem referência a acontecimentos – que exigem o espaço – só pode ser a memória da eternidade, do absoluto. O que está a ser refutada é uma ideia de tempo como propriedade inerente de coi-

---

[36] Para Heschel, ao contrário, "um deus que pode ser moldado, um deus que pode ser confinado, não é senão uma sombra do homem". Cf. *O Schabat...*, p. 13.

[37] Idem, p. 13.

sas que acontecem no espaço, em prol de uma concepção emancipada da finitude das coisas.

A própria categoria "coisa" aparece para Heschel como problemática. O termo nem sequer teria correspondência no hebraico bíblico, tendo a palavra *davar* – adotada pelo hebraico posterior como designando "coisa" – como significados originais possíveis "palavra", "fala", "conselho", "mensagem", "pedido", "promessa", "história", entre outros, a denotar significados imateriais, cujo sentido prescinde da extensão e da representação espacial.[38]

Para Heschel, a "coisificação" representa uma concepção de realidade marcada por uma "cegueira" que afeta a nossa percepção do tempo – ou falta de percepção: "sendo desprovido de coisa e de substância [o tempo] nos aparece como se não tivesse realidade".[39] O regime de vida ordinário dos humanos teria, então, tornado o tempo "subserviente" ao espaço. Sua própria progressão se faz tangível pela série temporal de aquisições – e perdas – que sofremos ao longo da vida. O curso da vida se faz, assim, compreensível como sucessão de eventos, espacialmente referenciados. Para Heschel, no entanto, "as coisas, quando ampliadas, são contrafações da felicidade, são uma ameaça para nossas próprias vidas".[40]

A versão do judaísmo apresentada por Heschel define-o como uma "religião do tempo visando à santificação

---

[38] Idem, p. 16-17.

[39] Idem, p. 14.

[40] Idem, p. 15.

do tempo".[41] O Schabat é, por decorrência, apresentado como algo vinculado a uma "arquitetura do tempo", resultado de uma arte de lidar com o tempo. Mas, ao contrário de outras marcas no calendário judaico, caracterizadas por práticas que lhes são próprias – tais como as inscritas no calendário das festas –, o Schabat distingue-se mais pela suspensão da ação do que pela obrigatoriedade de desempenho de práticas que lhe são específicas. O motivo para tal resulta de uma representação de nossa vivência com o espaço como experiência de viver sob uma tirania:

> *Seis dias da semana vivemos sob a tirania das coisas do espaço; no* Schabat *tentamos nos tornar harmônicos com a santidade do tempo. É um dia em que somos chamados a partilhar no que é eterno no tempo, para fugir dos resultados da criação para os mistérios da criação; do mundo da criação para a criação do mundo.*[42]

Embora finito, o tempo curto do Schabat encerra em si mesmo uma experiência de tempo ilimitado, graças à suspensão das referências ao espaço. Nesse sentido, pode ser definido como uma *simulação de eternidade.* É tal simulação que desmonta no interior do sujeito a associação habitual entre sensações de tempo e de espaço, como vivências necessariamente complementares. O Schabat, *à la* Heschel, é antes de tudo uma experiência

---

[41] Idem, p. 18.

[42] Idem, p. 22.

metafísica com o tempo, na qual os limites da contingência espacial são neutralizados. Sendo este um texto laico, importa-me menos a dimensão teológica e religiosa do Schabat e mais – muito mais – o que revela de experimento de sensibilidade metafísica para o absoluto.

Assim como a metafísica dos céticos contém implicações de ordem prática, a metafísica de Heschel não é isenta de consequências possíveis. A radicalidade da metafísica da preguiça, versão Heschel, pode bem ser atestada em uma das histórias que incluiu em *O Schabat*. Antes de transcrevê-la, devo dizer, apenas, que poucas imagens se adéquam tão bem à ideia de uma preguiça além da qual nenhuma outra pode ser pensada.

> *Certa vez, um pio fez um passeio à sua vinha durante o* Schabat. *Ele viu uma brecha na cerca e, então, decidiu consertá-la quando terminasse o* Schabat. *Ao expirar o* Schabat *resolveu: uma vez que o pensamento de reparar a cerca ocorreu-me durante o* Schabat, *não devo repará-la jamais.*[43]

Um dos mais importantes rabinos reformistas do início do século XIX – Samuel Holdheim – sugeriu uma interpretação do repouso exigido pelo Schabat, nele distinguindo duas dimensões, uma “negativa” e outra “positiva”. A negativa diz respeito à ideia de repouso como “eliminação de todo elemento que interfere na santificação”, materializada nas restrições ao trabalho e ao esforço.

[43] Idem, p. 50.

Tal suspensão seria portadora de uma dimensão simbólica, posto que alusiva ao descanso divino, posterior aos seis dias da criação. Holdheim sugere de modo forte a presença de uma dimensão positiva, não mais reduzida ao repouso como símbolo, mas realizada na ideia de *celebração*.[44]

Mais do que simbólico e, portanto, marcado por "externalidades dos sentidos", o repouso ganha sentido ao se aproximar da dimensão da "santificação". O argumento de Holdheim antecede a imagem de Heschel da "eternidade em disfarce". Não se trata apenas da recusa da espacialidade dos objetos e de sua demanda por manipulações sucessivas, mas de ocupar, em disfarce, a posição do que só existe no modo da eternidade. O repouso divino não é uma interrupção do trabalho, mas a retração à eternidade em estado puro, dada a conclusão da demiurgia que inventou um espaço composto por coisas finitas, cujas durações estabelecem um modo de configuração do tempo, sempre finito. Finda a demiurgia, o tempo do criador de todas as coisas é a pura eternidade, máxima condição de destaque com relação ao universo das coisas finitas.

Do ponto de vista teológico, o disfarce pretendido pelo Schabat – a "eternidade em disfarce" de Abraham Heschel – pode ser apresentado tal como o fez Samuel Holdheim, como santificação. Do ponto de vista metafí-

---

[44] Cf. Samuel Holdheim, *A New Concept of the Sabbath*, *apud* W. Gunther Plaut, *The Rise of Reform Judaism: A Sourcebook of Its European Origins*, New York: World Union for Progressive Judaism, 1963, p. 190-91. Sobre Samuel Holdheim, ver: Christian Weise (org.), *Redefining Judaism in An Age of Emancipation: Comparative Perspectives on Samuel Holdheim (1806-1860)*, Leiden/Boston: Brill, 2007.

sico, trata-se de um movimento que opõe a finitude das coisas, inapelavelmente inscritas no âmbito da associação entre tempo e espaço, à experiência com o infinito. O Schabat, nessa chave, pode ser pensado como a experiência com o infinito, por parte de seres inapelavelmente finitos. O infinito, uma vez experimentado pela simulação da eternidade, só pode exigir senão imobilidade.

Notas finais

1. Não se exigirá da metafísica da preguiça um programa prático de ação no mundo. Tal demanda deverá ser dirigida aos adeptos de uma política da preguiça, cujo sucesso – de modo necessário – implicará a descaracterização dos propósitos iniciais do, digamos, movimento. Isto porque a emergência de um operador político da preguiça exigirá a apresentação de um guia prático a respeito de como agir.

2. A metafísica da preguiça é um experimento com o absoluto. O que aqui fiz foi sugerir quais operadores me parecem ser necessários para que tal quimera preguiçosa fosse possível. O cético e o rabino aqui comparecem como exemplos de supressão – na ordem devida – do tempo e do espaço. Tal como sugeri antes, a supressão de qualquer um dos termos do composto espaço-tempo faz do remanescente um âmbito absoluto. Ora, a metafísica da preguiça exige a hipótese de um absoluto que, em termos formais, proíbe compartilhamento com algo que de si difere.

Se tempo e espaço comparecem em nossa experiência do mundo, assim o fazem porque cada um desses aspectos dá sentido e estabelece limites ao outro, na manufatura de um mundo povoado por objetos finitos. E mais, cada um faz com que o outro seja percebido segundo suas dimensões distintivas. O que resulta, no plano da experiência ordinária dos humanos, são representações temporais do espaço e representações espaciais do tempo. Em outros termos, a associação entre tempo e espaço exige sujeitos e objetos finitos, tanto quanto esses últimos exigem a associação aludida. A abstração de um dos termos impõe, antes de tudo, investimento metafísico e a simulação de um lugar capaz de abrigar o infinito estranhamente inscrito em cada um dos sujeitos finitos. Minha suspeita é a de que nossas reservas de reflexividade dependem da ficção desse absoluto/infinito dentro de nós mesmos: tudo isso depende de uma genuína capacidade de disfarce.

A CRENÇA

Página anterior:

Retrato de George Dyer num espelho
Francis Bacon, 1968
Museu Thyssen-Bornemisza, Madri

Michel de Montaigne, em uma de suas inspiradas imagens, definiu o sujeito humano como um "animal que crê". Sendo a humanidade, segundo ele, a mesma, por toda parte, o que teria feito com que os humanos fossem tão diferentes, segundo tempos e lugares? Uma das sugestões de resposta encontra-se em outra deliciosa passagem. Algo como "sou católico, porque gascão; se fosse turco, seria muçulmano". São os sistemas de crenças, assim, que nos diferenciam e ao mesmo tempo permitem que nos aproximemos.

Machado de Assis, através de Quincas Borba, acrescentou à imagem do "animal que crê" uma indicação mais precisa: somos, na verdade, "erratas pensantes". O pessimismo machadiano sugere que, de errata em errata, chegamos à edição final, inapelavelmente entregue aos vermes.

As duas referências dão a que pensar: ao mesmo tempo que somos portadores de crenças variadas, estão elas sujeitas à mutabilidade. Em uma síntese possível, seríamos animais inscritos em um quadro cujos marcadores centrais seriam as crenças e sua mutabilidade.

Se assim é, algumas perguntas parecem-me centrais. Antes de mais nada, o que significa crer?

Tal definição pode ser dada pelos conteúdos das crenças ou há algo de inerente ao ato de crer? Todas as crenças são equivalentes e mutantes ou há atos de crença distintos? É o mesmo dizer que "creio que amanhã vai chover" do que "creio que tenho uma consciência"? O que distingue tais atos? Em outras palavras, do que é possível descrer e do que não o é?

David Hume, no século XVIII, em seu espantosamente genial *Tratado da natureza humana*, asseverou que não nos é dado deixar de respirar e julgar por imposição da natureza. O exercício do juízo, fixado no regime da opinião, por definição move-se por sistemas de crenças, ainda que possam ser abstratas e muito gerais. Ao fim e ao cabo, crer e respirar são atos vitais. Dessa forma, a "errata que crê" – se me permitem o amálgama – move-se a partir não apenas de crenças voláteis e impostas pelas circunstâncias, mas de crenças mais fundamentais e arcaicas, cuja estrutura merece ser investigada.

Mas o que dizer da descrença? Qual o seu limite? Posso descrer de mim, de minha própria faculdade de crer? Uma admirável fábula de Luigi Pirandello descreve o trajeto de uma descrença radical, que incide inicialmente sobre os objetos e atinge em cheio o próprio sujeito da crença.

Um antídoto para a descrença completa foi desenvolvido pela filosofia do século XVII, ainda que possuísse respeitáveis antecedentes: a ideia de evidência, ou de uma verdade cuja integridade independe de qualquer existência real. A coisa, confesso, soa estranha, mas o mundo no qual vivemos sustenta-se em verdades dessa mesma natureza.

Crença, descrença de si, evidência: a propósito de uma fábula de Luigi Pirandello

"[...] a violência tirânica com que essa crença trata toda a empiria [...]"

Friedrich Nietzsche, *A filosofia na época trágica dos gregos*, 1873

"A crença, saber; uma vivência que, enquanto a estamos a ter, reconhecemos justamente como sendo isso."

Ludwig Wittgenstein, *Últimos escritos sobre a filosofia da psicologia*, III, 33, c. 1949

Para Vitangelo Moscarda, *in memoriam*

Abertura

Creio que há muitos modos possíveis de se falar em crenças. Dos mais intuitivos, leves e inocentes aos mais rebuscados, pesados e obscuros. Pode-se tomar uma crença como um assentimento breve e perecível, a exprimir uma inclinação com relação à qual o sujeito emitente não possui mais do que o compromisso do instante. Algo presente, por exemplo, na seguinte simulação: posto diante da indagação sobre se "haverá a reunião prevista para amanhã", posso responder que "creio que sim". Trata-se aqui de um leve, discreto e habitual salto alucinatório, imperceptível em uma escala sismográfica das alucinações.

A crença em questão, com efeito, incide sobre eventos ordinários e exteriores ao sujeito. Tão logo se confirme (ou não), ver-se-á a medida de sua adequação à assim chamada realidade das coisas e ao inapelável curso natural do mundo. Do ponto de vista do sujeito desse tipo de crença, nada há de existencialmente vinculante entre si e os possíveis efeitos – positivos e negativos – de validação de seu ato simples de crer. Parece ser razoável supor que o portador da crença em questão não sofrerá abalos em sua integridade cognitiva, permanecendo idêntico a si mesmo, qualquer que seja o resultado de sua projeção.

A verificação da consistência desse tipo de crença não parece ser filosoficamente problemática. Seria curioso e inusitado, ao contrário, se o emitente – o portador da crença, o crente –, diante do cancelamento súbito da reunião a cuja realização dera seu assentimento antecipado, se sentisse obrigado a investigar e a rever seus procedimentos epistêmicos mais profundos e a pôr sob inspeção sua própria fixação, como sujeito de conhecimento, no mundo da experiência. Seria mesmo extraordinário vê-lo indagar-se de tal maneira, diante da refutação fática da sua crença. Ao aviso da suspensão do evento sobreviriam, nessa hipótese – já semidemencial, por certo –, indagações do seguinte tipo: Quem sou eu? O que é este eu que crê? Há mesmo razões para crer em algo? A vida ordinária, para o bem ou para o mal, não acolhe tal tipo de inspeção, fundada em uma dúvida a respeito de si mesmo, ou em uma "inevidência do eu", segundo inspirada expressão de Fernando Gil, empregada em sua análise do poeta português Sá de Miranda.[1]

(Como veremos adiante, Luigi Pirandello nos oferecerá valiosa oportunidade para observar cenários nos quais dúvidas autocorrosivas daquela natureza – fundadas na "inevidência do eu" – foram levadas a sério, com implicações nada triviais.)

Há modos mais pesados e menos descartáveis para falarmos em crenças. Modos segundo os quais não nos é dado escapar de certas crenças, pelo simples reconhecimento de suas falhas perceptuais e de seus limites antecipatórios. Antes de qualquer aproximação com tal terreno mais denso e opaco, é forçoso reconhecer que o próprio cenário ingênuo que antes mencionei, o do descarte de uma crença quando refutada pela experiência, pode ser tratado de modo filosoficamente menos ligeiro, se a ele acrescentarmos a reserva de que só uma crença no valor da experiência pode operar como fundamento para a refutação de crenças contrárias à própria experiência.

Há, portanto, sempre uma teoria da experiência a montante da crença. Uma teoria, por sua vez, fundada em crenças a respeito do que pode significar a ideia mesma

[1] Cf. Fernando Gil, "As inevidências do eu", in: Fernando Gil e Helder Macedo, *Viagens do olhar*, Porto: Círculo das Letras, 1998, p. 229-69.

de "experiência". É o que podemos depreender da reflexão a respeito da melancolia, desenvolvida por Ludwig Binswanger em seu livro *Melancolia e mania*. Segundo Binswanger a vivência da "realidade melancólica do mundo" é precedida pelo preenchimento por parte do sujeito de uma "modalidade de experiência melancólica".[2] Passamos, então, de uma teoria da experiência – vivida enquanto "modalidade melancólica" – para a inscrição em um estado de mundo ontologicamente melancólico. A percepção fina de Binswanger pode, a meu juízo, ser generalizada para além da observação clínica.

Um seguidor dos atomistas gregos Demócrito de Abdera e Leucipo de Mileto, por exemplo, poderia retrucar diante do cancelamento da reunião que, a despeito de sua suspensão, muitas outras reuniões tiveram lugar (ou foram desmarcadas) nos inumeráveis mundos possíveis, existentes para além de nossa capacidade perceptual.[3] A consistência interna do sujeito – de ordem epistêmica – não seria dada pela adaptação ao evento (ou ao não evento) que antecipara com sua crença, mas na compreensão do caráter aleatório e múltiplo do universo, composto por átomos invisíveis em movimento incessante. É es-

[2] Cf. Ludwig Binswanger, *Mélancolie et manie*, Paris: Presses Universitaires de France, 1987 (edição alemã, 1960), p. 49.

[3] Para uma belíssima e genial apresentação da cosmologia dos atomistas gregos, ver: Charles Mugler, *Deux thèmes de la cosmologie grecque: devenir cyclique et pluralité des mondes*, Paris: Librairie C. Klincksieck, 1953, especialmente o capítulo IV, "La pluralité des mondes: substitution d'une représentation cosmologique nouvelle au mythe du retour éternel", p. 145-85.

tranho pensar isto, reconheço, mas não necessariamente absurdo: em algum mundo possível, uma combinação aleatória de átomos, idêntica à que me configurou como sujeito, neste mundo possível, comparece a reuniões idênticas à cancelada.

Em outra chave, um Azande – sociedade africana estudada genialmente pelo antropólogo Evans-Pritchard – poderia sustentar que a ocorrência da reunião não passaria de artimanha de bruxos, capazes de turvar e inverter nossas experiências e percepções mais comuns.[4] A reunião, na verdade, não teria ocorrido, e crer em sua não ocorrência parece ser o procedimento epistêmico mais adequado.

Jorge Luis Borges, em "Tlön, Uqbar, Orbis Tertius", ensaio escrito no Uruguai em 1940, faz referência a uma curiosa enciclopédia – *The Anglo-American Cyclopedia* (Nova York, 1917) – na qual o verbete "Uqbar", de modo um tanto caprichoso, apareceu apenas no exemplar comprado por seu amigo Bioy Casares, em algum alfarrabista. Nele é mencionado um heresiarca gnóstico – não nomeado – que afirmava ser o universo visível uma ilusão. Proposição grave que o levou a condenar os espelhos, julgados "*abominables*", tanto quanto a cópula, por sua capacidade de multiplicar os seres humanos. A condenação gnóstica teria sido lembrada por Bioy Casares, em uma conversa anterior com Borges. Para além de genial, ela revela a marca básica

[4] Cf. E.E. Evans-Pritchard, *Bruxaria, oráculos e magia entre os Azande*, Rio de Janeiro: Zahar, 1978.

gnóstica de não adotar a experiência imediata como condição de validação de crenças, já que o mundo não seria o que parece ser.[5]

Os três exemplos compartilham da premissa de que o invisível dá sentido ao visível. Por contraste, nossa epistemologia ordinária é agnóstica, pois toma as coisas tal como parecem ser e aceita os termos da experiência imediata como condição de validação de crenças e juízos que incidem sobre a própria experiência. Alimenta-se, assim, circularmente da visibilidade. Devolvemos, em forma de enunciados, à experiência os termos que dela recolhemos, para validá-la. É nossa adesão comum a essa forma de perceber e configurar a experiência que faz com que ela se torne o recurso mais básico para a aferição de alguns de nossos juízos.

Toda enunciação, portanto, mobiliza alguma teoria da experiência. Os enunciados envolvidos na mera afirmação – ou em sua projeção – de que haverá uma reunião são pouco problemáticos, pois nos remetem a uma teoria da experiência sustentada no compartilhamento dos fatores que a sustentam: confiança nos sentidos, na capacidade de nomeação e na regularidade do mundo e segurança na predicação. Juízos estéticos, por exemplo, implicam modalidades distintas de experiência, cuja extensão obedece a critérios menos compartilhados. Por certo, tais juízos mobilizam alguma teoria

[5] Cf. Jorge Luis Borges, "Tlön, Uqbar, Orbis Tertius", in: Jorge Luis Borges, *Ficciones*, Buenos Aires: Émecé, 1974, *Obras completas*, p. 431-32.

da experiência, distinta, contudo, do que poderíamos designar como a teoria ordinária da experiência.[6] O mesmo se aplica a modalidades mais fundas de crença, de natureza epistêmica ou primária, que incidem sobre a autofixação do sujeito, como operador de crenças secundárias, a respeito de objetos e de circunstâncias externas e mutantes.

Toda crença implica, de modo mais preciso, uma experiência com a verdade. Não nos é dado, simplesmente, descrer no que acreditamos, no ato mesmo em que acreditamos. Na chave posta por um de seus *Proverbs of Hell*, o poeta William Blake definiu belamente esse ponto: "Qualquer coisa que se possa crer é uma imagem da verdade (*Every thing possible to be believ'd is an image of truth*)." É-nos impossível crer em uma dúvida, a não ser que a promovamos filosoficamente ao estatuto de suporte de uma certeza. Há precedentes nessa artimanha, por certo. A própria negação peremptória da verdade, praticada pelos filósofos da Nova Academia, como já sabiam os antigos céticos,

---

[6] Remeto o leitor a alguns textos incontornáveis para o tratamento da questão da experiência estética, especialmente a Arthur Danto, *A transfiguração do lugar-comum*, São Paulo: Cosac Naify, 2005 (1981); Roger Fry, *Visão e forma*, São Paulo: Cosac Naify, 2002 (1981); e Nelson Goodman, *Linguagens da arte: uma abordagem a uma teoria dos símbolos*, Lisboa: Gradiva, 2006 (1976). Para uma utilíssima recolha do debate a respeito, no século XX, ver Carmo D'Orey (org.), *O que é a arte? A perspectiva analítica*, Lisboa: Dinalivro, 2007. O filósofo português Paulo Tunhas tratou da questão em excelente ensaio, intitulado "Três atos de crença", in: Fernando Gil; Pierre Livet; João Pina Cabral (orgs.), *O processo da crença*, Lisboa: Gradiva, 2004.

sustentava-se na verdade da proposição de que a verdade não existe.

Com efeito, o filósofo Sexto Empírico, responsável no século III da Era Comum pela reunião e glosa dos materiais do ceticismo grego, gerados desde o século III da era anterior, distinguiu a atitude cética da praticada por dogmáticos e acadêmicos. Enquanto dogmáticos afirmavam a incontroversa existência da verdade, os acadêmicos invertiam a pretensão, ao asseverar, sem qualquer sinal de hesitação, que não havia verdade alguma. A querela assemelha-se à hoje protagonizada entre adeptos do fundamentalismo religioso e os militantes do neoateísmo, ambos agarrados a crenças absolutas que incidem sobre o invisível: a existência de divindades ou a inexistência de divindades.

A atitude dos céticos, por contraste, implicava a suspensão do juízo diante do conflito entre asserções peremptórias a respeito da existência ou inexistência da verdade. Os termos de Sexto Empírico são de um agnosticismo exemplar: os dogmáticos creem na existência da verdade, os acadêmicos na sua inapreensibilidade e os céticos seguem a investigar.[7] Tal compromisso com a investigação – *sképsis* – está fixado na própria denominação da tradição filosófica que se lhe seguiu. Os céticos, dessa forma, pretenderam situar-se fora da jurisdição da crença. Seria interessante refletir a respei-

---

[7] Cf. Sextus Empiricus, *Outlines of Pyhrronism I*, in: *Sextus Empiricus*, trad. R.G. Bury, Cambridge/London: Harvard University Press/William Heinemann, 1976, p. 3.

to do padrão de crenças que sustenta tal pretensão de escapar do regime da crença.[8]

De qualquer modo, o descarte de uma crença depende da intervenção de outra crença, capaz de desfazer as condições experimentais que dão suporte à crença anterior. É esse o mecanismo ordinário de correção de crenças ordinárias. Falemos, agora, de crenças, a um só tempo, não suprimíveis e incorrigíveis. Mas antes disso, e mais uma vez, que fique claro: toda crença pressupõe uma experiência com a verdade. Em outros termos, regimes de crenças estão sempre associados a regimes de verdade.

Do que não nos é dado descrer

Deixemos as crenças simples e descartáveis, assim como algumas hipóteses extremas de suspeita a seu respeito. Agarremo-nos ao juízo, sustentado por certa filosofia da vida comum, de que tais pequenos atos de crença são capazes de associar duas propriedades aparentemente díspares: (i) são atos simples, fugazes e perecíveis, ao mesmo tempo que (ii) são atos necessários para a cogni-

[8] Tratei do regime de crenças dos céticos nos seguintes ensaios: "*Vox Sextus*: dimensões da sociabilidade em um mundo possível cético", in: Renato Lessa, *Veneno pirrônico: ensaios sobre o ceticismo*, Rio de Janeiro: Francisco Alves, 1998, p. 113-68; "Ceticismo, crença e filosofia política", in: Fernando Gil; João Pina Cabral; Pierre Livet (orgs.), *O processo da crença*, *op. cit.*, p. 29-49, e "La fabbrica delle credenze. Lo scetticismo come filosofia del mondo umano", Iride: Filosofia e Discussione Pubblica 55, Anno XXI, Diciembre 2008, p. 689-703.

ção e para o estar-no-mundo dos humanos. São pequenos atos de aposta na previsibilidade das pequenas coisas que, por meio de crenças causais, vinculam-se à nossa experiência pregressa e consolidam a confiança de que possuímos uma consciência distinta do mundo e somos dotados de identidades pessoais.

(Que o filósofo assim descreva esses mecanismos, de forma distanciada e um tanto cínica, isso diz respeito a suas crenças e seus hábitos profissionais e, de nenhum modo, o qualifica para descartar, em sua própria experiência como sujeito no mundo, modalidades de crenças praticadas pelos humanos filosoficamente imperitos.)

Voltemo-nos para estratos de crenças, tal como foi sugerido acima, menos descartáveis, ainda que o ato puro de crer seja tudo, qualquer que seja a sua incidência, menos descartável. Aqui movemo-nos na direção de um cenário abissal, que contém nossos mecanismos cognitivos mais recônditos. David Hume, no século XVIII, dedicou-se a perscrutar essa parte funda de nós mesmos, ao estabelecer uma equivalência entre crença e oxigênio, tal como posto na seção IV do Livro I de seu *Tratado da natureza humana*, de 1739: "A natureza, por uma necessidade absoluta e incontrolável, determinou-nos a julgar, assim como a respirar e a crer."[9]

Nessa direção, uma vida sem crenças, sustentada na pura razão, é, para Hume, para além de uma impossibilidade psicológica, algo que nos conduziria à "melanco-

[9] Cf. David Hume, *Tratado da natureza humana*, São Paulo: Unesp, 2000, livro I, parte IV, seção I, p. 216.

lia e delírio filosóficos".[10] Tristeza do espírito, apatia no domínio da ação. O sujeito sem crenças se condenaria à inação e a crer que, por não ter crenças, deve seguir o que lhe parece ser o curso inapelável do mundo. O regime da crença é sempre um regime calcado em hábitos de ação.

Dois aspectos fundamentais, ressaltados por David Hume ao longo de sua obra, estão presentes nas crenças que nos constituem como sujeitos na experiência histórica: (i) sua presença é condição necessária para a sociabilidade; (ii) a história é o domínio de definição e cristalização das crenças.

Não há, que fique claro, crenças inatas, do ponto de vista de seus conteúdos. Esses são da ordem da contingência e da experiência históricas, o que facilmente se depreende da observação primária da variedade das crenças abrigadas e praticadas pelos humanos. Mas, em adição ao reconhecimento desses conteúdos contingentes, é necessário que se diga que o sujeito que os sustenta é, tal como anteriormente fixado na antropologia de Michel de Montaigne e de Pierre Bayle, um animal que crê.[11] É essa a sua natureza básica, *foncière*. Na tradição aberta por Montaigne e Bayle, ao falar de uma natureza humana, Hume designa algo que pode ser definido como um sujeito portador de crenças.

---

[10] Idem, livro I, parte IV, seção VII, p. 301. Referência importante para o tratamento do tema da crença em Hume é a do livro de Anthony Flew *Hume's Philosophy of Belief: A Study of His First Enquiry*, London: Routledge and Kegan Paul, 1961.

[11] Para uma discussão pormenorizada das implicações dessa antropologia, ver Frédéric Brahami, *Le Travail du Scepticisme*, Paris: PUF, 2001.

O sujeito, afetado e constituído pela variedade, possui ademais características genéricas, que são condição de impregnação dos depósitos contingentes do tempo e da experiência. É de tal natureza humana que Hume nos fala em seu *Tratado*. Não sendo propriamente uma obra de história, o *Tratado da natureza humana* é um esforço genial para fixar as características naturais e genéricas dos sujeitos inscritos afetados e constituídos pelo curso ordinário das coisas. Tais estratos fundos, vazios de destino e finalidade, dizem respeito à nossa pregnância com as coisas e com os outros. Fixação, pregnância, ação: tudo isso se associa ao incessante trabalho da humana atribuição de sentido à experiência. Ou melhor, ao trabalho de constituição da experiência como atividade significativa. Nesse sentido, a filosofia de David Hume é uma filosofia da crença, na tradição aberta pelos céticos modernos, com Michel de Montaigne e Pierre Bayle.

Com efeito, nada há para além da natureza humana, quando observamos o curso do mundo. Os atos de observação e de dizer do que se está a observar, se exigem a suposição de algo que lhes é exterior, ao incidirem sobre o domínio da exterioridade acabam por humanizá-lo, por torná-lo significativo. Tal processo implica a operação de processos e estratos constituídos por crenças que, mais do que anteceder a experiência, são sua própria condição de possibilidade. Esse é o domínio da crença natural, da crença não afetada pela variedade das circunstâncias, posto que coextensiva à dimensão genérica dos sujeitos e não a suas particularidades.

Há, portanto, uma dimensão, digamos, natural na crença, mesmo que seu rebatimento substantivo – seu aspecto de conteúdo e preenchimento – provenha da experiência da história. Esta, por sua vez, só é possível enquanto processo de fabricação e decantação de crenças, o modo humano por excelência de pôr-se no mundo. Nessa chave, a história, tal como é apresentada por Hume em sua *History of England*, pode ser definida como o conjunto dos esforços humanos para simular e criar formas de estabilidade, através das crenças e do hábito.[12] Os humanos, dessa forma, colonizam o mundo governados por suas crenças. Em linguagem evolucionista, são elas que presidem nossos protocolos de adaptação e permanência ao mundo natural e pré-humano. Uma permanência calçada no artifício da cultura – na "invenção da cultura", como bem pôs o antropólogo Roy Wagner –, que só pode produzir efeitos de fixação e de regramento se sustentada em crenças constitutivas.[13]

David Hume, além de constatar a presença indelével da crença em nossos afazeres mais ordinários e a mutabilidade de seus conteúdos, sustentou que nossas crenças estão fundadas em algumas crenças naturais essenciais. Para Hume, as operações da crença configuram "uma espécie de instinto natural que nenhum raciocínio ou processo do pensamento ou do entendimento é

---

[12] Cf. David Hume, *The History of England*, Indianapolis: The Liberty Fund, 1983.

[13] Cf. Roy Wagner, *A invenção da cultura*, São Paulo: Cosac Naify, 2010.

capaz de produzir ou de impedir".[14] Se o conteúdo de algumas de nossas crenças pode ser afetado pelo tempo e pelos usos, há, contudo, atos originários de crença que podem – e devem – ser tomados como condição necessária para a própria experiência com o mundo. Em outros termos, o primeiro conjunto tem seus conteúdos constituídos pela operação de uma tríade composta pelos princípios da variabilidade, da mutabilidade e da obsolescência. Já o segundo exibe tinturas transcendentais, já que define as condições permanentes e gerais para que a tríade mencionada configure crenças positivas (isto é, dotadas de conteúdos normativos e vinculantes à ação). Sua presença autoriza-nos a supor que há um sujeito; sua ausência configura um mundo inapelavelmente não humano.

De um modo mais direto, há que distinguir entre crenças cujo conteúdo é afetado pelas circunstâncias históricas e por minha decisão de a elas aderir, de crenças com relação às quais não me é dado descrer. A crença em um projeto político, por exemplo, é descartável, já a crença de que sou um sujeito é de natureza distinta. Seu descarte produziria consequências diretas e práticas na substância de minha forma de vida.

Três atos de crença, a seguir o argumento de Hume, podem aqui ser incluídos como crenças naturais dotadas desses atributos fundamentais. É mais do que hora de decliná-los:

---

[14] Cf. David Hume, *Investigação acerca do entendimento humano*, São Paulo: Companhia Editora Nacional, 1972, p. 48.

i. *Crer na existência contínua de um mundo exterior e independente de nossas percepções: crer em algo independente de mim.*
ii. *Crer que as regularidades que ocorreram e ocorrem em nossa experiência passada e presente constituem base confiável para compreender as que ainda ocorrerão.*
iii. *Crer na confiabilidade dos nossos sentidos.*

O primeiro conjunto diz respeito a crenças ontológicas, constitutivas de enunciados que afirmam a existência de algo que de mim independe, posto que fixado em alguma natureza que não resulta da minha vontade e capacidade de representação. Trata-se, de modo direto, de uma crença no mundo fixada, por sua vez, em uma crença de regularidade.

O segundo conjunto estabelece crenças epistemológicas, ao indicar condições de observação e de formulação de juízos e expectativas a respeito do comportamento futuro do mundo. Regularidades percebidas, assim, formam a base de nossas crenças a respeito do modo pelo qual coisas e processos ainda não presentes deverão se constituir. São crenças, portanto, que estabelecem expectativas fiáveis a respeito do que ainda não ocorreu. Em termos belos e precisos, tal como postos por Fernando Gil, trata-se do "conforto da indução do incógnito a partir de acontecimentos já ocorridos".[15] Aspecto central

[15] Cf. Fernando Gil, "As inevidências do eu", in: Fernando Gil e Helder Macedo, *op. cit.*, p. 244.

nesse conjunto de crenças é constituído pelas crenças causais, que permitem que a presença humana no mundo seja marcada pela continuada atribuição de sentido à experiência. Um modo fulcral de atribuição de sentidos é da instituição de princípios de causalidade. Trata-se, aqui, de uma crença no pensamento, na possibilidade de algum conhecimento a respeito do mundo. Tal crença é o suporte cognitivo e existencial para crenças de previsibilidade.

Ambos os conjuntos configuram crenças que podem ser tomadas como exteriores, já que gravitam em torno da afirmação da existência de objetos e das condições para sua cognoscibilidade. Tais conjuntos distinguem-se do terceiro, constituído por crenças epistêmicas que dizem respeito à consistência do próprio sujeito que crê, aqui implicado o crer em si. Nesse sentido, crenças interiores (de existência). Em outros termos, trata-se de uma crença em si, marcador necessário da consistência epistêmica.

A atenção desenvolvida por David Hume a respeito do tema da crença teve importantes seguidores. Algo dessa inspiração parece ter frequentado o Clube Metafísico de Cambridge, criado em 1870, que contava com a presença de gente como os filósofos Charles Sanders Peirce e William James. Peirce, com efeito, devotou à questão da crença o melhor de suas atenções. Algo de David Hume esteve presente em suas reflexões, sobretudo no que diz respeito à associação entre crença e hábito. Em seu importante e incontornável ensaio "A fixação da crença", de 1877, Peirce afirmou que "o sentimento de crença é uma indicação mais ou menos segura de que se está estabelecendo na nossa natureza um hábito que determinará as nossas ações".[16]

Crença, certeza, confiança: a tríade, comandada pelo primeiro termo, liberta-nos da "irritação da dúvida", já que o regime da crença "termina com a cessação da dúvida".[17] Peirce, a esse respeito e em vários outros, segue as prescrições do psicólogo e filósofo escocês Alexander Bain, que definiu, em seu livro *The Emotions and the Will* (1859), a crença como um "hábito de ação" e "como aquilo que constitui a base sobre a qual um homem se dispõe a agir".[18] Para Alexander Bain, a crença opõe-se à dúvida e não à descrença. A razão para isso parece ser ostensiva.

Embora Bain não siga tal linha de raciocínio, não nos é difícil considerar a descrença uma modalidade de crença; modalidade cuja operação implica crer na falsidade de uma – ou várias – crenças. Com efeito, atos de descrença não são incompatíveis com sentimentos epistêmicos de convicção. Já a oposição crença × dúvida indica uma oposição mais significativa, pois o comparecimento da crença no ato mesmo de duvidar – na sentença de sabor cartesiano "creio que estou a duvidar" – além de contraintuitiva, remete a crença a uma dimensão transcendental e, portanto, trivial e genérica. É a serviço

---

[16] Cf. Charles Sanders Peirce, *A fixação da crença*, in: Charles Sanders Peirce, *Antologia filosófica*, Lisboa: Imprensa Nacional/Casa da Moeda, 1988 (trad. António Machuca Rosa), p. 64.

[17] Idem, p. 65.

[18] Cf. Alexander Bain, *The Emotions and the Will*, London: Longmans Green, and Co., 1875.

da cessação da dúvida que a crença exerce seu domínio: com "o tempero da crença" obtém-se "a exclusão total de toda essa miséria", representada pela "incerteza, a ignorância, a hesitação, a vacilação [...] a todo tempo prontas a ensejar a perturbação do medo".[19]

Há mesmo aqui uma inversão dos termos postos pelos céticos antigos, para os quais o estado de felicidade depende da suspensão das crenças, inapelavelmente fundadas em pressupostos dogmáticos. Para Bain parece haver, também, alguma felicidade na cessação da dúvida, embora isso só se faça possível pela operação de um regime de crença.

A teoria desenvolvida por Alexander Bain tem como ponto fundamental a concepção da crença como "aptidão para agir", como algo "relacionado essencialmente à parte ativa do nosso ser".[20] Na mesma chave, sustenta que a crença é concomitante à ação humana.[21] Ainda que Bain conserve de David Hume a percepção a respeito do papel fulcral cumprido pela crença nos assuntos humanos, há uma distinção clara de ênfases.

Hume, para além de reconhecer a importância das crenças ordinárias em nossos afazeres, ocupou-se de um estrato de crença anterior à faculdade da ação. Um estrato que não se dá à adesão dos humanos, mas impõe-se como marca de sua condição natural. É como se Hume procurasse responder às seguintes indagações: o que fa-

---

[19] Cf. Alexander Bain, *op. cit.*, p. 530-31.

[20] Idem, p. vi.

[21] Idem, p. 524.

zem os humanos quando sustentam suas crenças; que tipo de crença é condição de possibilidade para as crenças que dizem possuir?

Bain ocupou-se, ao que parece, de uma dimensão de ordem mais prática e experimental. Sua concepção de crença exige a presença da vontade. Não se trata mais de indicar estratos de crença de vinculação compulsória, mas de ações humanas cujas direções são determinadas por atos positivos de crença, mobilizados pela vontade (*will*). De modo mais direto, para Bain a crença desloca-se do âmbito da necessidade psicológica para o da vontade do sujeito: "a essência e a importância (da crença) são tais que devem ser localizadas no domínio da vontade".[22] A ênfase na dimensão da vontade visa a dissociar a manifestação da crença de qualquer cenário instintivo. Nesse esforço, Bain distingue estágios distintos de volição.

Há um "estágio primitivo" da vontade, no qual uma ação iniciada por acidente espontâneo é mantida na medida em que alivia a dor ou proporciona prazer. Não haveria, em tal estágio, lugar para a crença e seus correlatos: projeção de cenário, deliberação, resolução ou vontade.[23] Trata-se, em tal esfera primitiva e instintiva, de respostas instantâneas a estados de dor e prazer. Nesse sentido, a teoria de Bain retira do regime da crença situações governadas pelo primado da dor e do prazer, cujas sensações não são mediadas por estratos de crença: tais

[22] Idem, p. 524.

[23] Idem, p. 524.

sensações, simplesmente, dão-se ao sujeito e sob seu intenso e irrecusável domínio não há lugar para a crença.[24]

Outro cenário pode ser representado por um estágio no qual há um hiato de tempo (*delay*) entre a ocorrência do sentimento que configura um motivo para ação e os movimentos que a ele respondem. Tal intervalo é uma "condição de suspensão", uma ocasião para operação de novas "fases da vontade", descritas por termos tais que "desejo, deliberação, intenção, resolução, escolha". Em tal cenário, faz sentido dizer que há sinais de operação da crença: "a mesma sensação de suspensão é necessária para a manifestação da crença".[25]

Para que uma ação possa ser marcada como "fenômeno da mente humana" ela deve resultar, para Bain, de um ato de deliberação, sustentado em uma crença. A crença é algo que se acrescenta ao instinto, à resposta irrefletida. Sendo assim, a crença é revestida por uma expectativa a respeito de algum futuro contingente, a ser provocado pela ação à qual dá partida. Há, pois, um nexo entre crença e confiança, não apenas sob o regime da afirmação da regularidade do mundo e de nossa mente, mas como projeção hipotética a respeito de cenários abertos e afetáveis pela ação humana.

---

[24] Elaine Scarry, em seu livro *The Body in Pain: The Making and the Unmaking of the World*, New York/Oxford: Oxford University Press, 1985, tratou da relação entre dor e certeza, do ponto de vista do sujeito que sofre, e da mediação da crença no relato da dor a um observador externo. A dor, nesse caso, é o lugar da maior certeza possível; a escuta a quem sofre, o lugar do ceticismo e da incerteza. As implicações desse ponto para o tema do compartilhamento da dor são mais do que evidentes.

[25] Cf. Alexander Bain, *op. cit.*, p. 525.

Ainda que incidam sobre aspectos distintos, as concepções de Hume e Bain a respeito do significado das crenças não são opostas ou incompatíveis. Hume é muito melhor metafísico do que Bain. A ele importa perscrutar a condição humana no que esta encerra de permanente e genérica, mesmo que a serviço de uma forma filosófica que faz da variedade histórica e cultural dos humanos uma cláusula pétrea. Em Bain, trata-se de introduzir o tema da vontade: não há teoria da ação que dispense uma teoria da vontade e esta só se faz inteligível se acrescenta à experiência algo que ela originariamente não contém. Um composto Hume-Bain poderia sustentar-se na seguinte proposição: o homem é um animal que crê, por força de estratos profundos e inalteráveis pela vontade, e por força da vontade que funda modos de agir e de alterar as circunstâncias. Mas toda a perspicácia desenvolvida para pôr em relevo o tema da vontade colapsa se não reconhecer a precedência epistêmica da crença do sujeito em si mesmo.

Para finalizar este tópico, desejo enfatizar o tema das crenças do sujeito em si mesmo, em sua consistência interna para dizer coisas sobre o mundo. Em outros termos, trata-se de crenças que evocam o que poderíamos designar como o modo da primeira pessoa, que se exprimem por meio de verbos psicológicos: sentir, pensar e, fundamentalmente, crer.[26] A experiência epistêmica da crença é constituída por atos expressivos, fundados em juízos na

[26] Cf. António Marques, *O interior: linguagem e mente em Wittgenstein*, Lisboa: Gulbenkian, 2003.

primeira pessoa. Juízos sobre o mundo, ao contrário, são expressos no modo da terceira pessoa, mesmo quando manifestam uma crença – tal como em "creio que ocorrerá a reunião". Aqui o juízo da primeira pessoa – "creio" – estabelece a condição de ostensão do juízo na terceira pessoa – "haverá a reunião". A demonstração gramatical indica que juízos na terceira pessoa são marcadores de exterioridade. A experiência da exterioridade, no entanto, exige a operação da interioridade. É nesse sentido que Wittgenstein dizia que pressupunha a existência de um interior quando pressupunha um ser humano.[27]

Juízos na primeira pessoa são expressões de estados psicológicos, expressões de crenças.[28] Crenças epistêmicas são por definição crenças interiores, ou crenças de uma primeira pessoa. Dessa forma, agem como condições necessárias para o conhecimento: podem ser definidos como crenças que sustentam a própria possibilidade da crença em objetos externos, que incluem o próprio sujeito quando este pensa sobre si mesmo. Tal dimen-

---

[27] Cf. Ludwig Wittgenstein, *Últimos escritos sobre a filosofia da psicologia*, II, 84, *apud* António Marques, *op. cit.*, p. 7.

[28] Aqui é mesmo possível um nexo com a perspectiva freudiana. A ideia de um interior em associação a operações do inconsciente não se reduz necessariamente à ação pulsional de caráter a-simbólico. É esta, com certeza, a dinâmica do trauma, que emerge sem mediação simbólica. Fora do campo do trauma, contudo, as emergências pulsionais dão-se em uma linguagem que expressa conteúdo e, portanto, crenças. É mesmo possível – e desejável – uma teoria do inconsciente que o represente mais do que como linguagem, mas como algo no qual crenças estão fixadas e que se apresentam como condição originária da própria expressão. É mesmo o caso de imaginar a fusão da ideia de linguagem como forma de vida com o suposto do inconsciente como linguagem.

são epistêmica opera antes da experiência, o que faz com que o sentimento de falha epistêmica seja uma das mais radicais formas de vivência da falibilidade humana. Em outros termos, tal falhanço arruína nossas mais fundas e estabelecidas crenças a respeito de nossa identidade pessoal. Ou melhor, a falha epistêmica releva da aniquilação do sujeito na mente humana.

Mas que ideia podemos ter de nossas mentes? Se consultado, David Hume diria: não é possível ter uma ideia de mente, já que não há impressão de tal natureza.[29] Com efeito,

> *[...] aquilo que chamamos uma mente não é senão um feixe ou coleção de diferentes percepções unidas por certas relações, e as quais supomos, embora falsamente, serem dotadas de uma perfeita simplicidade e identidade.*[30]

Tais percepções "se sucedem umas às outras com uma rapidez inconcebível, e [...] estão em perpétuo fluxo e movimento".[31] O "eu" não passa de uma "sucessão de ideias e impressões relacionadas, de que temos uma memória e consciência íntima".[32] E mais: a "alma humana" não é mais do que "um agregado de diversas

[29] Cf. David Hume, *Tratado da natureza humana*, livro I, parte IV, seção VI, p. 284.

[30] Idem, livro I, parte IV, seção II, p. 240.

[31] Idem, livro I, parte IV, seção VII, p. 285.

[32] Idem, livro II, parte I, seção II, p. 311.

faculdades, paixões, sentimentos, ideias, unidos, sem dúvida, numa identidade, ou pessoa, mas ainda assim distintos uns dos outros".[33]

No entanto, no que diz respeito a possuir uma mente, o próprio Hume assevera: "não há nada de que possamos estar certos se duvidarmos disso".[34] A impossibilidade dessa dúvida conduz-nos à mãe de todas as ficções: "A identidade que atribuímos à mente humana é apenas fictícia, e de um tipo semelhante à que atribuímos a vegetais e corpos animais."[35] Na verdade, "fantasiamos a existência de um princípio de união como suporte dessa simplicidade (da mente, RL) e centro de todas as diferentes partes e qualidades do objeto".[36]

Chegamos, pois, ao fundo do humano: a sustentação tácita de que somos portadores de uma mente. Dela não temos impressões diretas e muito menos ideia clara e distinta. Resta a ficção a respeito da sua existência. Em outros termos, resta a crença a respeito da sua presença. E como a crença é passagem para a ação, simulamos em nossas ações no mundo os efeitos de nossas mentes. Damos assentimento constante, dessa forma, à ficção que as constituiu. Além desse limite estabelecido pela mais básica das crenças, há o abismo do desfazimento do sujeito,

[33] Cf. David Hume, *Diálogos sobre a religião natural*, in: David Hume, *Obras sobre religião*, Lisboa: Fundação Calouste Gulbenkian, 2005, p. 47.

[34] Cf. David Hume, *Tratado da natureza humana*, livro I, parte IV, seção VI, p. 283.

[35] Idem, livro I, parte IV, seção VI, p. 291.

[36] Idem, livro I, parte IV, seção VI, p. 295.

submetido a processos de descrença de si, a mecanismos de deflação epistêmica. Examinemos, a seguir, um experimento dessa natureza – um verdadeiro exemplo de autodestruição de crenças básicas a respeito de si mesmo, a mais pura expressão do anti-Descartes.

Inevidência do eu: *Um, nenhum e cem mil*, de Luigi Pirandello

Vitangelo Moscarda, aos 28 anos, recebeu de Dida, sua mulher, súbita e brutal revelação. Ao vê-lo a demorar-se no espelho, em busca de uma razão para a pequena dor que sentia na narina, a jovem moça proferiu o seguinte comentário: "Pensei que estivesse olhando para que lado ele cai."[37] Estupefato, Vitangelo ouviu ainda a confirmação: "Repare bem: ele cai para a direita." Havia mais: além do nariz torto, suas sobrancelhas assemelhavam-se a dois acentos circunflexos, suas orelhas eram mal grudadas, uma mais saliente do que a outra; algo incomum, ainda, com seu dedo mínimo e com a perna direita mais arqueada do que a esquerda, na altura do joelho. Tal revelação desencadeou um terrível processo de desconstrução identitária, pois não era essa a experiência que Vitangelo tinha de si mesmo.

Visto por outro ângulo, o cenário revela o que poderia ser designado como o primeiro problema filosófico

---

[37] Cf. Luigi Pirandello, *Um, nenhum e cem mil*, São Paulo: Cosac Naify, 2001, p. 19.

do infeliz personagem de Pirandello ou, de modo mais solene, sua entrada no domínio da filosofia:

> *[...] mergulhei por inteiro na ideia de que, então – mas seria possível? –, eu não conhecia bem nem mesmo meu próprio corpo, as coisas que mais intimamente me pertenciam: o nariz, as orelhas, as mãos, as pernas.*
>
> *[...] Assim começou o meu mal.*[38]

As desventuras de Vitangelo Moscarda – o Gengê, para sua esposa – são apresentadas por Luigi Pirandello, em seu livro *Uno, Nessuno e Centomilla* (*Um, nenhum e cem mil*). Escrito "penosamente", tal como afirma Alfredo Bosi na apresentação à edição brasileira, entre 1916 e 1929, o texto alterna momentos abertamente metafísicos com passagens poéticas tocantes. A narrativa acompanha o processo de autodesconstrução identitária do personagem principal, a partir do episódio aparentemente banal já referido. Um episódio, contudo, capaz de revelar a Vitangelo o hiato intransponível entre suas autorrepresentações e as que sobre ele faziam os que com ele interagiam. Achado trivial e não despercebido pela experiência ordinária dos humanos, a desse abismo. Mas o que fez com que a descoberta de Vitangelo produzisse efeitos não triviais foi a sua decisão de levá-la filosoficamente a sério.

Do primeiro episódio de ceticismo a respeito de sua capacidade de reconhecer seu próprio corpo, seguiu-se

---

[38] Idem, p. 22.

desdobramento mais fundo: "[...] fixou-se em meu pensamento a ideia de que eu não era para os outros aquilo que até agora, dentro de mim, havia imaginado que fosse."[39]

Em encontros casuais com amigos, Vitangelo afeta um ânimo socrático e indaga em busca de confirmação dos sinais revelados por sua esposa. Os efeitos das perguntas a respeito do nariz, do dedo mínimo, das sobrancelhas circunflexas e da perna arqueada sobre a conversação ordinária é, no mínimo, disfuncional. Seus interlocutores não apenas estranham os termos da conversa, como acrescentam ainda mais razões para alarme: Vitangelo, sem que jamais tenha se dado conta, possui um rabicho na nuca, traço que teria feito com que sua mãe, se tivesse reincidido na maternidade, desse à luz um segundo filho homem. Tais encontros estabelecem e aprofundam o inapelável divórcio entre o conhecimento de si – na primeira pessoa – e os depoimentos externos, dos outros sujeitos.

A fratura traz consigo o desejo de solidão. Vitangelo deseja estar só, e de um modo radical: sem si mesmo, "sem aquele 'mim' que eu já conhecia ou pensava conhecer": "a verdadeira solidão está em um lugar que vive por si e que para você não tem nem voz nem feição, onde o estranho é você". A pergunta que deflagra o desejo de solidão é pura demanda por sentido de si: "Se para os outros eu não era o que agora havia pensado que era para mim, quem eu era?" O trajeto busca amparo em uma evidência de si, distinta da percepção

[39] Idem, p. 24.

dos outros, para os quais as ideias e os sentimentos de Vitangelo "têm um nariz".[40]

O sucesso no empreendimento da solidão, no entanto, exige a presença de dois requisitos indisponíveis: (i) encontrar um eu, claro e distinto, e (ii) a possibilidade de ver-se vivendo. Os jogos diante do espelho – recurso clássico da busca de si – barravam o acesso a esse eu intocado e não nomeado pelos outros: "cada gesto meu parecia fictício ou postiço".[41] A esta altura, os infortúnios de Vitangelo encontram na seguinte passagem um resumo apropriado:

> *A ideia de que os outros viam em mim alguém que não era eu tal como eu me conhecia, alguém que só eles podiam conhecer olhando-me de fora, com olhos que não eram os meus e que me davam um aspecto fadado a ser sempre estranho a mim, mesmo estando em mim, mesmo sendo o meu para eles (um "meu" que, portanto, não era para mim!), uma vida na qual, mesmo sendo a minha para eles, eu não podia penetrar, essa ideia não me deu mais descanso.*[42]

A narrativa ficcional de Pirandello, no livro em questão, por vezes é abertamente filosófica, acrescentando beleza de estilo à clareza na argumentação. Não me ocorre recurso melhor do que o da paráfrase. Nesse

---

[40] Idem, p. 30.

[41] Idem, p. 31.

[42] Idem, p. 34.

sentido, vale a transcrição da súmula das descobertas de Vitangelo Moscarda, nos primeiros movimentos de esvaziamento epistêmico:

> *i.* *que eu não era para os outros o que até agora pensara que era para mim;*
>
> *ii.* *que eu não podia me ver vivendo;*
>
> *iii.* *que, não podendo me ver vivendo, ficava alheio a mim mesmo, isto é, como alguém que os outros podiam ver e conhecer, cada um a seu modo, mas eu não;*
>
> *iv.* *que era impossível colocar-me diante desse estranho para vê-lo e conhecê-lo, pois eu podia me ver, mas já não o via;*
>
> *v.* *que o meu corpo, se o considerasse desde fora, era para mim como uma aparição de sonho, uma coisa que não sabia que vivia e que ficava ali, à espera de que alguém a levasse;*
>
> *vi.* *que assim como eu tomava este meu corpo e fazia dele cada vez o que queria e sentia, assim os outros podiam tomá-lo para lhe dar a realidade que quisessem;*
>
> *vii.* *que, enfim, aquele corpo em si mesmo era a tal ponto nada e a tal ponto ninguém, que um fio de ar podia fazê-lo espirrar hoje e, amanhã, levá-lo embora.*[43]

Esse pesado conjunto de descobertas põe em ação duas ordens de corolários, um de natureza existencial e

[43] Idem, p. 41.

outro com implicações epistêmicas. São esses últimos que estarão aqui sob inspeção, embora haja afetação recíproca entre as duas ordens. No plano existencial, por exemplo, Vitangelo decide interromper todos os seus cursos habituais de ação, sobretudo no que diz respeito à posição de banqueiro – "usurário" –, herdada do pai, e à cena conjugal. Em ambos os domínios trata-se de "desdenhosamente [...] decompor aquilo que eu era para eles". Vitangelo desfaz-se do banco e, como corolário, é deixado pela esposa que, na sagaz observação de Alfredo Bosi, associava de modo convicto matrimônio a patrimônio.[44]

No que diz respeito aos corolários epistêmicos, Vitangelo ocupa-se do tema da consciência, a partir da seguinte pergunta: "É ela algo absoluto, que possa bastar-se a si mesma?" A inclinação não cartesiana é clara: o "penso, logo existo" não parece sustentável, assim como qualquer fixação genuína na própria consciência como ato de autonomia. Esse parece ser o sentido da interpelação de Moscarda:

> *Para que lhes serve, então, a consciência? Para se sentirem sozinhos? Não, por favor. A solidão os apavora. E o que vocês fazem, então? Imaginam muitas cabeças. Todas iguais à sua. Um monte de cabeças que são, aliás, a sua; as quais, em cada ocasião, puxadas por vocês como por um fio invisível, lhes dizem sim*

[44] Cf. Alfredo Bosi, "Apresentação", in: Luigi Pirandello, *op. cit.*, p. 12.

e não, não e sim, como queiram. E isso os conforta e lhes dá segurança.[45]

Em outros termos, a consciência é fixada por crenças a respeito de sua presença e dos efeitos de "conforto" que produz. Ademais, ela é refratária a descrições que indicam a sua interioridade indevassável e autonomia. Ao contrário, é de heteronomia e de vulnerabilidade que se está a falar: é algo de ordem mais geral e intersubjetiva que se afirma na crença a respeito da consciência, algo protagonizado por "muitas cabeças" idênticas entre si. De fato, a consciência em mim só pode ser pensada como efeito de "muitas cabeças". À pretensão de solipsismo da consciência, Moscarda opõe uma proposição existencial: "Infelizmente eu existo, e vocês existem."[46]

Os termos do impasse estão claros: não há saída na direção de uma consciência na qual o verdadeiro eu está fixado. Qualquer ênfase nessa direção encontrará versões do eu fortemente afetadas pela intersubjetividade das "muitas cabeças". Trata-se, então, de recusar a consciência e aderir à visão comum do mundo? Mas não é exatamente tal visão que introduziu a fenda entre o "mim" que Moscarda julgava ser e o modo pelo qual era ele configurado pela experiência com os outros?

O caminho da deflação epistêmica está claramente indicado. Não há mesmo como pedir amparo em uma improvável ordem das coisas. Quando olha para o cur-

---

[45] Cf. Luigi Pirandello, *op. cit.*, p. 47.

[46] Idem, p. 46.

so do mundo, Vitangelo, para seu maior desamparo, o observa com lentes afetadas por um quê de ceticismo, mesclado com forte componente heraclitiano, ao sugerir a presença permanente de um fluxo que altera a natureza e a disposição das coisas:

> *A capacidade de nos iludirmos de que a realidade de hoje é a única verdadeira, se de um lado nos ampara, do outro nos precipita num vazio sem fim, porque a realidade de hoje está fadada a se revelar a ilusão de amanhã. E a vida não se ajusta. Não pode se ajustar. Se amanhã se ajustar, está acabada.*[47]

Sem o amparo interno da consciência e o conforto compartilhado do conhecimento comum, o sujeito em Moscarda é testemunha e vítima do fluxo incessante de todas as coisas. Um fluxo de tal monta que os atos de nomeação jamais podem incidir sobre o instante presente: nesse caso, para que serve um eu que pensa e fala? O ato final de deflação epistêmica se impõe: "sobre aquilo que eu possa ser para mim, não só vocês não podem saber nada, mas tampouco eu mesmo".[48]

Os atos finais da narrativa de Vitangelo Moscarda descrevem o hospício, distante da cidade de Richieri. Rompido com os programas filosóficos da consciência e do curso ordinário das coisas, Vitangelo parece feliz em sua deflação epistêmica radical. Já não retém os nomes e

---

[47] Idem, p. 91.

[48] Idem, p. 95.

neles vê apenas o apego ao que já não há, ao que não mais pode haver. Os nomes convêm aos mortos: "Um nome não é mais do que isso: um epitáfio." Definitivamente afetado por uma sombra heraclitiana, Vitangelo recusa o regime de fixação de nomes a coisas e afirma-se vivo e "sem conclusão": "A vida não tem conclusão – nem consta que saiba de nomes" (um juízo que sabe a Alberto Caeiro).

Vitangelo, finalmente deflacionado de si, atinge o paroxismo da ataraxia: um vazio absoluto de qualquer pensamento e a recolha calma e feliz dos fragmentos da experiência: o campanário, o som dos sinos, as andorinhas, as planícies desertas e atônitas. Seu único esforço é o de impedir que o pensamento se ponha de novo a trabalhar, "reabrindo por dentro o vazio de suas vãs conclusões". Deflação de si, descoberta do princípio de realidade. Como um sujeito movido por um desejo de encontro com sua autenticidade irredutível, Vitangelo descobre que só é inteiro e idêntico a si na contemplação irreflexiva e impensada de objetos externos. Ao fazê-lo, adota o mais puro realismo possível, assentado no princípio da realidade das coisas fragmentárias. Jamais dirá que o real não existe. Ao contrário, só ele existe, mas se a ele se impõe o regime do pensamento, ele se desfaz. Penso serem esses os termos inscritos na pungente despedida de Vitangelo Moscarda:

Pensar na morte, rezar. Há ainda os que necessitam disso, e os sinos tocam também por eles. Eu não preciso mais disso, porque morro a cada segundo e renas-

ço novo e sem lembranças: vivo e inteiro, não mais em mim, mas em cada coisa externa.[49]

Não parece ser difícil reconhecer por que o texto de Pirandello é tão perturbador. O processo de Moscarda agride uma de nossas crenças naturais mais fundamentais, a de que possuímos uma mente, que somos um eu, aberto à autoinspeção e refúgio reflexivo para a confusão e o movimento incessantes do mundo. O paroxismo de Moscarda reside na decisão sobre-humana de desembarcar dessas crenças básicas. Não é surpreendente que o cancelamento desse estrato fundo tenha como consequência a dissolução do sujeito.

A leitura e a interpretação feitas por Fernando Gil, em seu belo texto "As inevidências do eu", a respeito do poeta Sá de Miranda, podem vir em nosso socorro para entender as implicações filosóficas do "caso Moscarda". Fernando Gil refere-se a Sá de Miranda como, mais do que um "autor difícil", alguém marcado pela "experiência da incomodidade", que "não vive bem consigo" e precipitado no "abismo do eu".[50] Tal "incomodidade" – que podemos estender ao "caso Moscarda" –, segundo Fernando Gil, releva de uma "perda do amor por si", algo que Rousseau opunha ao "amor-próprio" – egoísta –, associado à "aceitação da vida que se me apresenta, sem que a tenha escolhido". Com efeito, na autoconstrução do sujeito – na afirmação da crença em si –, a

[49] Cf. Luigi Pirandello, *op. cit.*, p. 216.

[50] Cf. Fernando Gil, "As inevidências do eu", *op. cit.*, p. 229.

aceitação da existência é "a primeira expressão humana da vida".[51]

A perda desse "amor por si" indica uma "enfermidade do ego puro", a afetar tanto as "estruturas da temporalidade" como a própria identidade. Os termos de Fernando Gil, como de hábito, são precisos: "Perda do amor de si é o nome genérico de uma série de desregulações dos *a priori* que enformam e dão sentido à experiência."[52] Em outros termos, "o eu deixa de se reconhecer como polo ordenador da experiência, isto é, como sujeito". Há, ainda, aqui uma perda de confiança na abdicação do sujeito de si mesmo:

> *Já não confio nem creo,*
> *já confiei e já cri:*
> *mal assi, e mal assi.*[53]

Da crise de confiança passa-se ao "sentimento--de-estar-cortado-do-futuro". Sá de Miranda desiste do futuro, pois, segundo ele, "é escusado cansar mais". Fernando Gil acrescenta: "o futuro não satisfará a esperança que o poeta já não tem".[54] No "caso Moscarda", Gengê desiste de seu futuro, tal como este havia sido configurado pelos outros e por si mesmo, por um

---

[51] Idem, p. 230.

[52] Idem, p. 230.

[53] Cf. Sá de Miranda, *Que mal avindos cuidados*, § 13, p. 11, *apud* Fernando Gil, *op. cit.*, p. 244.

[54] Cf. Fernando Gil, *op. cit.*, p. 243.

"mim" não mais reconhecido pelo seu portador, incapaz de a ele apresentar qualquer substituto nítido. Em ambos os casos, o sentimento de desterro interno "representa uma ruptura face à experiência externa".[55] A negação dessa exterioridade é complemento necessário da negação de si, posto que o eu – o "*continuum* da biografia interna" – é a condição mesma de possibilidade de toda experiência.

Nos termos de Ludwig Binswanger, a perda da "confiança transcendental", produzida pela descrença absoluta nas condições fundantes de todos os atos de crença, priva a consciência de "um texto da experiência legível e contínuo", um "texto" pelo qual ela poderia "ler o mundo, as articulações do mundo, e ler-se a si mesma".[56] Foi esse o estado final de Moscarda, incapaz de ler-se a si mesmo. Nem os espelhos lhe puderam socorrer. Já não havia texto disponível para a decifração da imagem, para dizer do que se vê.

Modos de fixar a verdade, ou de alguns antídotos para a inevidência do eu

A patologia do espírito, materializada na inevidência do eu, manifesta-se, nos termos da linguagem terapêutica de Ludwig Binswanger, por meio de um "texto [...] totalmente ilegível, fantástico e perturbado", calcado em

[55] Idem, p. 244.

[56] Cf. Ludwig Binswanger, *Délire*, *op. cit.*, p. 72.

uma lógica delirante.[57] Pode-se acrescentar que, sob tal domínio, colapsa qualquer modo de fixação da verdade. Terapias à parte, importa refletir sobre condições de fixação da verdade e indagar a respeito do papel que a crença joga no empreendimento.

O uso do termo "verdade" não deve assustar. A crise do espírito, presente em Moscarda e em Sá de Miranda, pode ser vista como uma recusa à predicação. Com o termo "verdade" repõem-se as condições de predicação, sempre sustentadas sobre crenças de referencialidade, sem as quais nenhuma predicação é sustentável. Em outros termos, creio que há algo sobre o qual "algo" pode ser dito. Se eu predico, estabeleço um regime que, pela prática da linguagem, conecta pensamento e algo sobre o qual ele se ocupa. Chamemos tais regimes de modos de fixação da verdade. Nenhum deles poderá dispensar modalidades apropriadas de crença e formas particulares de alucinação.

Há um discurso da verdade que, ao supor nossa presença indisputada em um mundo constituído por objetos, adota o que poderíamos designar como o modo da referencialidade.[58] Penso, por exemplo, no que disse Willard Quine, a respeito de estarmos sempre propen-

---

[57] Idem, p. 60.

[58] Fernando Gil, em *La logique du nom* (Paris: L'Herne, 1972), tratou dessa questão por meio da expressão "pressuposição da referencialidade". Ver também o ensaio de Michael Riffaterre, "A ilusão referencial", in: Michael Riffaterre *et alii*, *Literatura e realidade (que é realismo?)*, Lisboa: Dom Quixote, 1984, p. 99-128.

sos a pensar e falar de objetos.[59] Tal propensão pode ser tomada como condição de consistência tanto epistêmica como epistemológica. Mesmo que não falemos dos mesmos objetos, ou que digamos coisas distintas a respeito deles, isso não cancela a crença de que, para atestarmos as pretensões de um discurso a respeito da verdade de suas proposições, tenhamos que ocupar um ponto de observação capaz de contemplar e cotejar os enunciados e os objetos que eles pretendem representar.

Delícia dos céticos, que aí podem ver a porta de entrada para o abismo da regressão ao infinito, pois cada um daqueles pontos de observação exige a anterioridade de uma série de pontos, em uma série regressiva sem fim. A recusa à regressão virá sempre acompanhada, na história da filosofia, pela fixação de um primeiro argumento – ou de primeiros princípios – que se quer primordial e não redutível a nada que o anteceda. Tal é a pretensão do fundamento, princípio de tudo e índice de si mesmo e que não depende de qualquer nexo de anterioridade.[60] Ele resulta de um ato arbitrário do espírito na fixação da primeira verdade. Friedrich Nietzsche, em seu belo per-

---

[59] Cf. Willard van Orman Quine, *Relatividade ontológica e outros ensaios*, in: Gilbert Ryle, John Austin, Willard Quine e Peter Strawson, *Ensaios*, São Paulo: Abril, 1980, coleção "Os Pensadores", p. 118.

[60] Sobre o tema do fundamento – e sua distinção para com a ideia de fundação –, ver Fernando Gil, *A convicção*, Porto: Círculo das Letras, 2002. Eu mesmo tratei do problema, inspirado no argumento original de Fernando Gil, em "Pensamento soberano, abismo do fundamento e formas da irresolução", in: Renato Lessa *et alii*, *A razão apaixonada: homenagem a Fernando Gil*, Lisboa: Imprensa Nacional-Casa da Moeda, 2008, p. 239-90.

curso sobre a filosofia na época da tragédia, indicou com rara beleza esse ato inaugural, em seu comentário a respeito de Tales de Mileto: "a filosofia começa por legislar sobre a grandeza, a ela se prende uma doação de nomes".[61]

Por mais que tal fixação da grandeza tenha tido seus pés alçados pela potência ilógica da fantasia, trata-se de uma decisão dotada de consequências práticas a respeito do que vale a pena ser pensado e dito. Como tal, mesmo fantasiosa, não pode se eximir de indicar modos discursivos capazes de revelar de forma verdadeira aquilo que deve ser pensado e dito. Com efeito, coube ao regime filosófico da fantasia inaugurar a reflexão sistemática a respeito da verdade e de suas condições de ostensão e fundamentação.

Os primeiros céticos trataram de indicar a natureza inapelavelmente dogmática da pretensão ao fundamento. A própria postulação de objetos dignos de ser submetidos à observação não estaria, ela mesma, a exigir a vigência prévia de certezas a respeito de seus significados? Na linguagem especial dos céticos, os dogmáticos, mesmo quando falam de objetos visíveis, partem de premissas e considerações sobre coisas invisíveis. Por isso, os céticos, quando fazem juízos a respeito de coisas que julgam existentes, atêm-se aos fenômenos – àquilo que aparece a todos de modo não problemático e comum. Ainda assim, jamais se exprimem de um modo que ateste

---

[61] Cf. Friedrich Nietzche, *A filosofia na época trágica dos gregos*, in: José Cavalcante de Souza (sel.), *Os pré-socráticos*, São Paulo: Abril, 1978, coleção "Os Pensadores", p. 12.

propriedades absolutas; preferem o uso epistemologicamente cauteloso da expressão "isto parece ser", no lugar de "isto é". Ou, então, o recurso epistêmico contido do "a mim parece que". É o que se depreende do comentário de Tímon, discípulo de Pirro de Élis (c. séc. III antes da Era Comum), que dizia não poder sustentar que o mel seja doce em si mesmo, embora garantisse que ele assim parece ser à degustação dos humanos.

Mas a despeito do combate dos céticos à pretensão do fundamento, a verdade parece ser um atrator ao qual estamos linguisticamente vinculados. São as próprias operações ordinárias da linguagem que exigem a referencialidade, e com ela abre-se espaço para distintas formas de fixação da verdade. A linguagem exige a suposição de que fala de algo fora de si, distinto e distinguível, em sua integridade ontológica, do ato de nomear. Quando fala de si mesma, a linguagem faz-se metalinguagem e introduz em seus domínios uma distinção entre o que se diz e do que se diz. Tal distinção é condição lógica para a presença da referencialidade.

Discursos a respeito da verdade podem se exprimir por meio de três modos fundamentais e distintos, ainda que, por vezes, possam se apresentar de forma combinada: o modo da prova, o modo da demonstração e o modo da persuasão. Todos exigem a presença de modalidades de crença específicas: assim, é necessário crer na verdade de uma proposição científico-experimental (algo que se dá por meio da prova), crer na verdade de uma dedução lógica (algo que se dá pela demonstração) e crer na verdade de uma proposição de natureza moral e política (algo que resulta da argumentação).[62]

O modo da prova manifesta-se quando se trata de defender a verdade de uma proposição por meio da apresentação de seu referente factual. Trata-se do modo mais puro e ostensivo da referencialidade. É necessário que algo aconteça fora do discurso para que, a ele justaposto, se produza um efeito prova (ou o seu contrário, a refutação, que não cancela a presença do modo em questão). Provas são, por decorrência, locais e datadas, sujeitas que são a refutações e correções. Penso, por exemplo, nos ganhadores brasileiros do prêmio Ig Nobel de arqueologia que provaram que a ação de tatus interfere na datação de sítios arqueológicos.[63] Trata-se de resultado refutável e local, posto que insuficiente para uma teoria geral e demonstrativa a respeito dos fatores de desorganização de sítios arqueológicos.

O modo da demonstração opera com juízos de validade universal, não sujeitos, portanto, aos limites espaciais e temporais impostos aos praticantes do modo da prova. Trata-se aqui de demonstrar a verdade de uma sentença lógica ou a de um axioma. Em tal domínio, estamos a navegar no oceano aristotélico do saber teórico, enquanto que no primeiro dos modos indicados tratava-

---

[62] Esse ponto é tratado com brilho e clareza singulares por Paulo Tunhas, em ensaio já aqui mencionado, "Três tipos de crença", in: Fernando Gil, Pierre Livet e João Pina Cabral (orgs.), *O processo da crença*, *op. cit.*, p. 119-34.

[63] Ver Astolfo G. Mello Araújo e José Carlos Marcelino, "O papel dos tatus no movimento dos materiais arqueológicos: uma abordagem experimental", *Geoarchaeology*, April 2003.

-se de operar com saberes práticos (*technoi*), com efeitos prováveis e inscritos em circunstâncias particulares. Trata-se, no caso da demonstração, do avesso da contingência e do acidente. Quando tratamos de demonstrações, nada menos do que o universal está em jogo.

Crer na verdade de um juízo moral ou na de um enunciado de conotação política é algo que não pode decorrer dos modos da prova e da demonstração, ainda que muita pretensão neste sentido tenha se apresentado ao longo da história da filosofia política (*e.g.*, a pretensão por uma ciência demonstrativa da moral, tal como proposta e desenvolvida por Thomas Hobbes). Mas, mesmo assim, é possível perceber o apelo à linguagem da demonstração – ou da prova – como recurso retórico, voltado para o convencimento público, o que faz com que, mesmo com o emprego de tal recurso, estejamos em pleno domínio do modo da persuasão, ou da argumentação. Tal modo alimenta-se da produção continuada da ilusão da referencialidade, para empregar os termos de Michael Riffaterre. Para tal, modos discursivos associados à prova e à demonstração podem ser inscritos na argumentação, e por ela comandados.

(É possível, ainda, imaginar uma variante do modo da persuasão, pela qual o efeito de verdade não advém tanto do discurso – como o que teria persuadido Helena, em vias de se tornar "de Troia", segundo a interpretação do sofista Górgias –, mas de uma crença na excelência e no caráter extraordinário do "senhor do discurso".[64] Não

[64] Cf. Górgias, *L'Éloge d'Hélène*, in: Jean-François Pradeau (org.), *Les Sophistes*, vol. I, Paris: Garnier-Flammarion, 2009.

é mais o caso, em tal variante, de falar como Górgias e sustentar que o logos é um poderoso tirano, mas de indicar como potência originária da persuasão o senhor do discurso, aquele que mais do que deter a prerrogativa de proferi-lo é dotado de características extraordinárias. Ninguém como Max Weber, na alvorada do pensamento contemporâneo, deu mais atenção ao fenômeno, quando tratou dos atributos do carisma.[65] O carisma se faz marcador da verdade não pelo que diz, mas por que o diz.)

O conjunto composto pelas três modalidades indicadas, embora expressivo, não é exaustivo. De modo mais direto, é possível imaginar outro modo de fixação da verdade, distinto dos aqui mencionados, que se caracteriza pela presença da evidência, como atributo fundamental. Trata-se, pois, de pensar em um modo da evidência – ou em modos, como bem sustentou Fernando Gil.[66] Tal modo está, por exemplo, na origem mesma dos principais enunciados e sistemas da filosofia política moderna e tem como principal característica, digamos, estrutural a presença de uma tensão entre um solipsismo radical originário, presente no ato de intuição de um fundamento, e uma pretensão de legislar para o conjunto da humanidade, a partir de operadores de generalização.

O pensamento da evidência é tanto uma condição para repor e fixar a crença em si, sendo essa mesma uma

[65] Cf. Max Weber, "A política como vocação", in: Max Weber, *Política e ciência: duas vocações*, São Paulo: Cultrix, 1985.

[66] Cf. Fernando Gil, *Tratado da evidência*, Lisboa: Imprensa Nacional, 1996, e *Modos da evidência*, Lisboa: Imprensa Nacional, 1998.

evidência originária, como suporte para a configuração do mundo da experiência. Como bem pôs Fernando Gil, não existe a evidência do não ser: "A decepção não é originária, uma decepção realizada significaria a realização de uma expectativa, a crença originária no não ser é um absurdo."[67]

Evidência, alucinação, experiência do mundo

É hora de ouvir Thomas Jefferson: "Consideramos essas verdades autoevidentes: que todos os homens são criados iguais, dotados pelo seu Criador de certos direitos inalienáveis, que entre eles estão a Vida, a Liberdade e a busca de Felicidade."[68]

Independentemente do contexto histórico – trata-se de sua versão para a Declaração da Independência norte-americana –, é notável no texto de Jefferson a presença de uma *linguagem da evidência*. Ao tomar aqueles valores como autoevidentes – tal como o fizera John Locke cerca de um século antes –, Jefferson está a indicar a presença e a força de verdades que escapam à prova, à demonstração e à persuasão.

Com efeito, tais suposições escapam à prova, já que a exigência básica desse modo de fixação da verdade é a possibilidade de ostensão dos seus termos: o ajuste entre juízo

[67] Cf. Fernando Gil, *Tratado da evidência*, Lisboa: Imprensa Nacional-Casa da Moeda, 1996, p. 261.

[68] Cf. Julien P. Boyd (org.), *The papers of Thomas Jefferson*, Princeton: Princeton University Press, 1950, vol. 1 (1760-66), p. 423.

e experiência – linguagem e mundo; palavra e coisa – deve ser dado pela exibição de ambos, como condição de consistência. No limite, eu teria que testemunhar a ação direta do Criador, para atestar o que dela resultou. David Hume diria que tal ideia – a da ação do Criador – é desprovida de uma impressão originária que a teria deflagrado.

A tentativa de aplicação do modo da prova para fixar a existência de Deus caracterizou, na verdade, a bateria de argumentos das chamadas "provas *a posteriori*". Tratava-se, nesse caso, tal como argumenta Cleantes, personagem dos *Diálogos sobre a religião natural*, de David Hume, de afirmar que os sinais de ordem, engenhosidade e complexidade presentes no mundo natural exigem a antecedência de um desígnio ordenador, posto que não podem ser efeito do acaso.[69] O argumento pretende partir dos efeitos visíveis para a postulação de uma causa originária invisível, estabelecendo, assim, um modo de afirmação da verdade sustentado em uma prova. O opositor de Cleantes – Fílon – dirá que o limite desse enunciado é a analogia, e esta, como tal, é epistemologicamente fraca e insuficiente para sustentar imputações causais. Pela analogia, o argumento supõe que se uma casa revela a ação do arquiteto como sua origem formal e material, o mesmo se daria para o universo: este seria não o produto do acaso, mas, tal como a casa, de um desígnio.

A inaplicabilidade da demonstração, para fixar a verdade do texto de Jefferson, parece óbvia. Uma de-

---

[69] Cf. David Hume, *Diálogos sobre a religião natural*, in: David Hume, *Obras sobre religião*, Lisboa: Fundação Calouste Gulbenkian, 2005.

monstração dá-se ou não. Tem que ser dotada de um efeito de certeza absoluta tal que, uma vez posta, seus impactos são tais que a imagem de um cenário distinto daquele que ela fixa torna-se impossível, tal como o de imaginar um quadrado de cinco lados. Jefferson pode manifestar sua crença com todo o vigor e atribuir a sua origem ao que desejar, mas, em termos rigorosos, não pode demonstrá-la. Ele não seria capaz de mostrar que o seu oposto é necessariamente impossível.

Resta-nos o modo de fixação da verdade via argumentação. Essa é a forma disponível e usual de decantação de enunciados políticos e morais. Com efeito, a afirmação de verdades autoevidentes só passa ao ato se esforços de argumentação dela decorrem. Tal aspecto, porém, diz da relação desse discurso com o mundo para o qual ele se dirige, mas oblitera uma questão grave: como Jefferson sabe disso? Em outra linguagem, como passar dos enunciados na terceira pessoa – *há direitos universais* – para o da primeira – *eu sei que há direitos universais*?

Thomas Jefferson, por certo, nunca foi filósofo. Escolhi-o como exemplo filosófico exatamente por esta razão. Com ele dá-se uma passagem possível da evidência para a experiência. Vejamos o ponto. Jefferson poderia ter apresentado, com os mesmos propósitos prosélitos, a mesma proposição em outros termos, a saber:

i. *nós acreditamos que há um Criador do qual decorrem os seres humanos como iguais, com direito à vida, à felicidade e à liberdade;*

ii. *nossa revolução tem como pontos programáticos a defesa do direito do povo americano à vida, à felicidade e à liberdade.*

Em ambos os enunciados hipotéticos não se vê a operação de princípios da evidência. O primeiro deles caracteriza-se pela afirmação de uma crença, com a indicação do caminho de suas consequências, nos termos exatos de Alexander Bain, que associa o tema da crença à intenção, à vontade e à ação. No segundo, trata-se de enunciado que enfatiza a dimensão histórica e o local do movimento que afirmou aqueles valores. Em ambos os casos não há operadores de universalização.

Pelo contraste, pode-se ter uma ideia da potência do pensamento da evidência, mobilizado por operadores de universalização. No texto original de Jefferson e no vocabulário dos Direitos do Homem, emanados da Revolução Francesa, os operadores são claros: "homem", "qualquer homem", "todos os homens" etc. Há, pois, uma correspondência entre o caráter de verdade necessária revelado pela evidência e seu corolário de universalização prática: os sujeitos são, em todos esses casos, universais.[70]

Se as operações da crença em contextos de provas, demonstrações e argumentos não se apresentam como

[70] É esse o sentido da caracterização feita por Alexis de Tocqueville, da Revolução Francesa como "revolução religiosa". Ela não era nacional ou resultado de dinâmicas históricas e sociais particulares, mas manifestação de argumentos racionais evidentes e universais. Cf. Alexis de Tocqueville, *O Antigo Regime e a Revolução*, Brasília: Editora da UnB, 1979. Ver, em especial, o capítulo 3 do livro primeiro, p. 57-59.

especialmente problemáticas, ao contrário parece ser o caso de indagar: qual a natureza das crenças envolvidas no ato de crer em uma evidência? Embora gente como Charles Saunders Peirce tenha genialmente desqualificado a questão – ao sustentar que cria em tudo aquilo em que acreditava –, creio ser necessário levá-la a sério.

O tema da evidência ocupou o proscênio filosófico do século XVII. É certo que tais datações são sempre sujeitas a reparos. É possível, com efeito, detectar sinais de operações de princípios da evidência na filosofia grega – quer pela recusa da *doxa* (opinião) como critério de verdade, quer pela fixação de primeiros princípios como condição necessária para o conhecimento verdadeiro, assim como no pensamento medieval. Neste último caso, ressalta a figura de Anselmo de Cantuária (séc. XII) e sua prova da existência de Deus, que, de forma engenhosa, buscava combinar demonstração e evidência. Trata-se, ainda, de um tema forte nas filosofias dos pensadores medievais Duns Escoto (séc. XIII) e Guilherme de Ockham (séc. XIV), o primeiro em torno da ideia de cognição intuitiva – *cognitio intuitiva* – e o segundo com o tema do conhecimento evidente – *notitia evidens*. Ambos andavam às voltas com formas de falar da realidade, sem que para tal fosse necessário sair do espírito.[71]

A filosofia do século XVII pode ser, no entanto, definida como marcada pela busca de evidências capazes de fornecer ao sujeito uma certeza epistêmica. Descartes e Hobbes são os principais operadores dessa mutação fi-

[71] Cf. Fernando Gil, *Tratado da evidência*, *op. cit.*, p. 170-81.

losófica. O estatuto da verdade não mais depende de algo associado à tradição ou à revelação, mas exige o preenchimento do sujeito – antes mesmo que ele diga algo a respeito do mundo – por uma certeza que, quando lhe aparece, o faz sob a forma de algo que exige não menos do que um assentimento completo, tal como a ideia de *cogito* – de algo em nós que pensa – ou a de direitos naturais como fatos de razão. Da mesma forma que marcado pelo tema da evidência, o século XVII foi atravessado por esforços de refutação dessa busca, tal como pode ser detectado na variante cética que teria, segundo olhares pouco generosos, infestado os espíritos.[72]

Uma história da evidência seria, por certo, de grande interesse. Não é o caso de empreendê-la aqui, mas pode ser dito que há uma ordem de argumentos e indagações que deve precedê-la. Diante do enunciado de Jefferson, posso, de modo legítimo, perguntar: *Como vocês sabem disso?* O que é isto que vocês veem, e que eu não consigo ver? Há o suposto de uma opacidade, a par de uma incapacidade minha de ver o fundamento. Uma alternativa apaziguadora poderia dizer: essa visão que não alcanço resulta de uma percepção de coisas que se dão no mundo, e não de caprichos de homens doidos. Tornaram-se possíveis pela prática militante de

---

[72] Referência obrigatória para o tratamento das refutações céticas ao racionalismo, no século XVII, é o livro clássico de Richard Popkin, *The History of Scepticism: from Savonarola to Bayle*, Oxford: Oxford University Press, 2003 (Revised and Expanded Edition). Ver ainda o excelente livro de Gianni Paganini, *Skepsis: le débat des modernes sur le scepticisme*, Paris: J. Vrin, 2008.

maior atenção, quer ao detalhe – uma sensibilidade fenomenológica incomum –, quer à espessura do mundo – uma capacidade de ir ao fundo das coisas e ver lá o que não se revela a olho nu.

Mas não seria o caso de supor que os que afirmam a evidência do fundamento – para além de toda experiência – têm, com sinais trocados, alguma parte com os infortúnios de Vitangelo Moscarda? Ali, como vimos, as inevidências do eu conduziram à recusa da predicação e do pensamento. Agora, se está diante de uma autoposição e afirmação de si pelo privilégio do vislumbre de uma evidência. Em outros termos, ao esvaziamento pirandelliano opõe-se o autopreenchimento do sujeito, pela afirmação de seu acesso privado a verdades invisíveis, posto que evidentes. Em ambos os casos praticam-se formas de alucinação. A primeira poderia ser designada por uma alucinação negativa que suspende o pensamento e a nomeação. A segunda é eminentemente positiva e ativa. A primeira aniquila o sujeito; a segunda inventa mundos.

Fernando Gil, em seu *Tratado da evidência*, afirmou que a evidência é uma alucinação. Trata-se de um "excesso", ou um "curto-circuito",[73] pelo qual a representação mental toma o lugar do mundo exterior ao pensamento:

> *A evidência alucinada permanece o modelo da máxima inteligibilidade, de uma "inteligibilidade viva" que não deixa margem para dúvidas e que, sobretudo, nos*

---

[73] Cf. Fernando Gil, *Tratado da evidência*, *op. cit.*, p. 117.

> *conduz a uma crença absoluta na existência e ao contentamento do conhecimento [...] ao preenchimento da expectativa.*[74]

A alucinação da evidência traz consigo um operador invisível. O argumento decorre da ideia de Edmund Husserl a respeito do que seria uma evidência perfeita. Husserl, em uma nota de sua *Lógica formal e lógica transcendental*, menciona o "caráter regulador, em sentido kantiano, de uma evidência perfeita".[75] Trata-se de pura passagem da evidência ao ato. Fundada em um solipsismo radical, a evidência passa à vida como princípio regulador da experiência. O argumento de Husserl é essencial para o entendimento desse passo da evidência à experiência:

> *A experiência externa nunca é* a priori *uma experiência que dê a coisa ela própria de maneira perfeita, mas, enquanto se escoa numa concordância consequente, ela traz consigo, a título de implicação intencional, a ideia de um sistema infinito [...] de experiências possíveis.*[76]

---

[74] Idem, p. 17.

[75] Cf. Edmund Husserl, *Lógica formal e lógica transcendental*, *apud* Fernando Gil, *Tratado da evidência*, *op. cit.*, p. 33.

[76] Cf. Edmund Husserl, *op. cit.*, apud José Reis, "Sobre o Tratado da evidência de Fernando Gil", *Revista Filosófica de Coimbra*, n. 10 (1996), p. 415-16.

Como bem observou José Reis, em comentário ao *Tratado da evidência*, trata-se, no argumento de Husserl, de "tomar o não dado como presente".[77] Há alguns anos supus e escrevi que a filosofia política caracteriza-se pela imitação de coisas não existentes.[78] Hoje penso saber melhor a respeito do que se imita e dos requisitos epistêmicos envolvidos no empreendimento. Sem os operadores da crença e da alucinação e, sobretudo, sem o recurso à ficção da evidência, o discurso sobre a política jamais poderá considerá-la pela ótica de um "sistema infinito [...] de experiências possíveis". Em seu lugar, continuaremos imersos em um sistema finito de coisas tal como se mostram.

***

O rebatimento do tema da evidência sobre a filosofia política é, para dizer o mínimo, significativo. A linguagem dos direitos – tidos como fatos de razão e não como efeitos de acumulações históricas particulares – muito deve às operações da evidência. Por suas características intrínsecas, a experiência da verdade, proporcionada pela evidência, é de natureza solipsista e não compartilhada. Qualquer esforço que eu venha a fazer para compartilhar com outrem algo que advém

---

[77] Idem, p. 416.

[78] Cf. Renato Lessa, "Por que rir da filosofia política?", in: Renato Lessa, *Agonia, aposta e ceticismo: ensaios de filosofia política*, Belo Horizonte: Editora da Universidade Federal de Minas Gerais, 2003.

de uma evidência que acaba de me assaltar implicará praticar algum dos modos anteriormente indicados. É possível, pois, imaginar esforços de persuasão baseados em uma evidência originária. Mas isto não elide o fato de que, na origem de tudo – e como condição de tudo –, ocorre um experimento de intuição filosófica, por definição solipsista.

Crer na verdade de uma intuição, anterior a toda experiência e a operar como condição de consistência epistêmica do sujeito. Tal é a modalidade de crença a ser exigida pelo modo da evidência. Importa, pois, investigar por que meios uma experiência originariamente solipsista dá passagem à configuração do espaço público.

O debate sobre o significado e o papel da crença na configuração do experimento humano, com efeito, é milenar. Desde a crítica platônica às possibilidades de uma *polis* ser sustentada no jogo das opiniões imperitas e o reconhecimento, por parte do cético grego Sexto Empírico, do papel essencial das crenças mitológicas (*mitiké pisteis*) na configuração da experiência social, o tema da crença tem se apresentado como crucial.

Há também muitas formas possíveis de incredulidade. O eminente pensador brasileiro Nelson Rodrigues não acreditava no que mostrava aquilo que então era designado pelo termo "*videotape*", sobretudo quando "comprovava" algo contrário às suas paixões clubísticas: dizia que "*videotape*" era uma coisa "burra". Já o irmão de Freud, diante da Acrópole, dizia: "Não acredito que estou aqui", o que levou o exemplar mais célebre da família a escrever uma bela nota na qual refletia sobre o significado de tal incredulidade.[79] O personagem Vitangelo Moscarda, de Luigi Pirandello, passa a duvidar de sua existência como sujeito, em um exemplo notável de desvestimento da crença.

Mas Descartes, nas *Meditações metafísicas*, fez da experiência da maior incredulidade possível – a dúvida hiperbólica – a base de um trajeto na direção de uma inabalável crença – ou certeza – a respeito da existência de um sujeito que pensa e é habitado por ideias claras e distintas.[80] Este é o lugar da evidência, uma das bases para esforços de reinvenção do mundo, e para pensá-lo a contrapelo. A filosofia política, mais do que de "contextos" ou "conceitos", muito decorre da ação desse operador alucinado.

---

[79] Cf. Sigmund Freud, *Um transtorno de la memoria en la Acropolis: carta abierta a Romain Rolland en ocasión de su septuagésimo aniversario*, in: Sigmund Freud, *Obras completas*, Madrid: Editorial Biblioteca Nueva, 1968, vol. III, p. 352-59.

[80] Cf. René Descartes, *Meditações metafísicas*, São Paulo: Martins Fontes, 2005.

O TEMPO

Página anterior:

Alegoria da vaidade
Antonio de Pereda, 1632-36
Museu de História da Arte, Viena

"O FUTURO NÃO É mais o que foi." A frase de Paul Valéry, com efeito, dá-nos o que pensar. Ao ouvi-la, uma das direções possíveis a tomar é a de imaginar o quanto nossas imagens de futuro assumem a forma de um "presente eternizado". A não ser pelas fantasias, promessas e eventuais pesadelos prometidos pelo otimismo técnico-científico, os desenhos de futuro parecem ter encurtado a perspectiva do tempo. As imagens do "fim da história" relevam todas desta sensação.

O século passado forneceu inestimável alento para aquilo que, certa feita, Jürgen Habermas designou como "esgotamento das energias utópicas", que sempre estiveram associadas a imagens de futuro. O impacto originário da Grande Guerra, para nos limitarmos a este acontecimento matricial do século, agiu como triturador das melhores expectativas: Sigmund Freud – em "Considerações atuais sobre a guerra e a morte", de 1915 –, como ninguém, detectou o potencial de devastação civilizatória e destruição de expectativas contido naquele conflito.

Mas há mais no que pensar. Não seria a eternização do presente uma sensação inscrita em uma mutação em nossas estruturas internas e habituais de expectativa e esperança? Devo confessar que a suspeita nada tem de inovadora. Já santo Agostinho, no Livro IX de suas *Confissões*, fez o belíssimo registro: "O futuro não existe, quem o nega? Mas, apesar disso, sua espera já está em nosso espírito."

Não disputo o fato de que, para dizer de modo propositadamente vago, o "mundo mudou" e as tais energias utópicas encurtaram. O que julgo merecedor de atenção é, na linguagem de Agostinho, o lugar ocupado pela espera em "nosso espírito". A expectativa e a espera não aguardam passivamente o que virá: elas, na verdade, preparam e constituem antecipadamente o seu próprio preenchimento. E é nessa relação entre espera/expectativa e seu preenchimento – imaginado e antecipado – que reside dentro de nós a perspectiva do tempo. Ora, se o tempo futuro torna-se algo colado no imediato – como presente que dura –, algo deve ter ocorrido nas estruturas e no alcance de nossas expectativas e esperas. É essa a pista que persigo: daí a ideia de uma "arqueologia da espera", para compreender, dentro de nós, o que nos faz esperar.

Manifestações importantes da arte contemporânea – em sua idade "clássica" – serão a seguir consideradas, em função da presença da chamada "quebra da referencialidade", presente na crítica ao realismo e à ideia de uma arte como cópia mimética do mundo. Tal mutação, presente por exemplo no uso de linguagens abstratas e não figurativas, alterou de modo significativo as estruturas de nossas expectativas estéticas e, por essa via, do nosso gosto. Não é mais o caso de preencher uma expectativa habitual de preenchimento e de pôr nas telas, com nosso olhar, o mundo lá fora. Em grande medida, é o contrário que se dá: olhar e testemunhar a erosão da crença e da sensação de que o mundo em geral faz sentido e que pode ser representado de modo incontroverso.

Mas o que tem isto a ver com a alteração das expectativas com relação ao futuro? Certamente não coube à arte do início do século XX a maternidade pela intuição generalizada de quebra de expectativas e esperanças. O mundo faz sentido dentro de nós, quando há o "encaixe" entre a expectativa e seu preenchimento. A linguagem da arte contemporânea – tal como os retratos de Giacometti, que, segundo Sartre, "expulsou o mundo de suas telas" – acolhe a perspectiva de um "desencaixe" que, em grande medida, ela antecipou.

Penso nos animais que nas praias do Sri Lanka ou no Parque Nacional Yanachaga Chemillén, no Peru, perceberam a iminência de desastres naturais devastadores – tsunami e terremoto – e dirigiram-se a lugares seguros, muito antes que os humanos dessem conta do que estava para acontecer. Em grande medida a invenção estética produz uma forma de conhecimento por antecipação, por meio da intuição do que poderíamos definir como um "grande desencaixe". Não, certamente, no modo reflexivo da previsão, mas no espaço próprio de concepção da obra, por meio da revolução na forma e nas estruturas mais fundas da sensibilidade estética, tão inscritas dentro de nós.

Mas devo dizer que, ao contrário dos animais que se puseram a salvo, os artistas e criadores aqui invocados permaneceram no meio de nós. A rigor, ninguém pode pretender incolumidade nessa matéria. É bem o caso de reconhecer, *à la mode* de Blaise Pascal: *nous sommes tous embarqués*.

Por uma arqueologia da espera: tempo, futuro, expectativa, abstração

"O arquétipo do preenchimento é o encaixe sem espaço vazio, o engaste, a soldadura."

(Fernando Gil)

"Qual o arquétipo, *Urbild*, da insatisfação? O espaço vazio?"

(Ludwig Wittgenstein)

Abertura

Devo dizer, à partida, que nada aqui tenho a provar. Menos ainda a demonstrar. Algo, se calhar, a mostrar. Mas o quê, exatamente? Penso que um argumento, cujas premissas podem ser reduzidas às seguintes proposições:

(i) *Nossas intuições de futuro estão assentadas em estados de espera.*

(ii) *Estados de espera, ao mesmo tempo que incidem sobre objetos de espera, são atributos e movimentos de um sujeito que espera.*

(iii) *Além de uma história possível a respeito dos objetos de espera, há lugar para uma reflexão a respeito do sujeito que espera, ou do que nele espera.*

A tríade que acaba de ser enumerada releva de um projeto inacabado – ou, se calhar, inacabável –, de uma arqueologia da espera, motivada pelo desejo de saber algo a respeito do que no sujeito sustenta atos de espera, e do operador interno que o faz esperar.

Afinal, por que esperamos; o que, em nós, nos faz esperar?

Desde já, deve ficar posto que parto de uma distinção analítica entre exterior e interior; ou entre a perspectiva da primeira pessoa e a da terceira pessoa:[1] na expressão "eu espero por aquilo", o "aquilo" que é esperado por mim é enunciável na perspectiva da terceira pessoa ("aquilo é esperado"). Já o sujeito da espera diz de si por meio de atos de fala expressivos, formulados na perspectiva da primeira pessoa: "eu espero". Trata-se de uma afirmação cujo conteúdo, por certo, é imaterial e intangível, da parte de quem escuta. Os extratos mais profundos da afirmação não se mostram na simples ostensão daquilo que é esperado: a ponta do dedo, ao indicar o que é apontado, não elucida o abismo que subjaz inscrito no gesto de apontar. A referência a um objeto externo não diz do sujeito; na verdade, o objeto exposto e indicado exerce sobre o sujeito um efeito de ocultação: quando afirmo que espero por algo, a atenção de quem me escuta dirige-se para aquilo que espero, para o conteúdo proposicional do algo que digo estar à espera, para os ruídos de minhas esperanças.

[1] Cf. António Marques, *O interior: linguagem e mente em Wittgenstein*, Lisboa: Fundação Calouste Gulbenkian, 2003.

O que pretendo é distinguir entre atos de espera e objetos de espera. O projeto de uma arqueologia da espera toma portanto, para si, a tarefa de investigar atos de espera e de responder à pergunta já aqui posta: o que no sujeito sustenta atos de espera?

Que se diga do futuro que ele já não é mais tal como foi. A razão para tal lapso pode estar contida no fato de que já não vivemos mais no passado que projetou o futuro para além do nosso presente, ou mesmo um presente que contradiz em suas dobras tudo o que esperávamos. Que dirá das projeções do que gostaríamos que fosse, do futuro desse presente que nos falta. Nosso presente, como passado de algum futuro, parece não mais autorizar a crença naquele futuro antes imaginado, uma crença urdida em condições pretéritas canceladas. Pode ser também, e tão somente, que não imaginemos mais o futuro tal como o fazíamos em algum ponto de nossa história passada.

Não disputo o ponto. Sustento, apenas, que qualquer que seja a direção assumida pelo juízo a respeito de passados cancelados e futuros abortados, restará a questão intocada de saber algo a respeito dos sujeitos da espera e, dentro deles, dos movimentos alucinatórios de antecipação que fazem ver o que vem depois, um exercício que se constitui como requisito inescapável de integridade epistêmica e existencial dos humanos. Com efeito, se ver o que vem depois for assumido como traço antropológico básico – como impulso inerente à existência dos humanos –, é lícito afirmar que a espécie é constituída por seres no tempo. Em outros termos, o sentido dinâmico e continuado de sua espacialidade dá-se na perspectiva do tempo: trata-se de um animal que espera ou, se quisermos, de um animal que comete atos alucinatórios de antecipação. Comecemos, pois, o trajeto arqueológico com algo a respeito do tempo, com referência inicial à ideia de insuportabilidade do efêmero e do imediato.

Primeiro movimento: tempo nas coisas, tempo para nós

Wilhelm Dilthey, em sua *Introdução às ciências do espírito*, de 1883, afirmou que as primeiras formas da experiência humana com o tempo deram-se a partir de uma intuição do efêmero: um sentimento sustentado na percepção da obsolescência e da finitude da natureza, dos corpos, das instituições e criações humanas.[2] Ivan Dominguez, em seu belo livro *O fio e a trama: reflexões sobre o tempo e a história*, ao chamar atenção para a reflexão de Dilthey a respeito do tempo, assim resumiu a principal consequência daquela intuição:

> *O resultado foi que os homens desde cedo, ao experienciarem a ação do tempo, foram levados a buscar explicações que dessem sentido a essa experiência, sem que,*

[2] O ponto foi destacado por Ivan Dominguez já na abertura do primeiro capítulo ("A experiência do tempo e da história") de seu belo livro *O fio e a trama: reflexões sobre o tempo e a história*, São Paulo: Iluminuras, 1996.

todavia, o enigma do tempo fosse decifrado ou ficasse de todo resolvido.[3]

A ação do tempo aparece como implacável, posto que devoradora dos instantes infinitesimais que o compõem: com efeito, nenhum instante sobrevive ao tempo. O fluxo, ademais, não acumula, mas sim sobrepõe; ele aparece como sucessão de instantes finitos e soterráveis. O instante, em si mesmo, parece ser mesmo insuportável, já que dotado de dimensões muito avaras. Krzysztof Pomian, em texto genial, a partir de uma identidade entre instante e simultaneidade de eventos, diz a respeito:

> *[...] percebemos como simultâneos eventos na realidade sucessivos, contanto que não sejam nem muito numerosos, nem muito intervalados, ou díspares, e que se consideram compreendidos ora entre 0,15 e 5 segundos [...] ora entre 4 e 7 segundos [...].*[4]

Trata-se, como bem se vê, de invólucro diminuto, para que nele se inscreva nossa fixação no mundo, confinado a um intervalo entre 0,15 e 7 segundos, a crer nos "cálculos" apresentados por Pomian. Tal fixação não pode ser contida pelo efêmero; ela, na verdade, opera na perspectiva de seu transbordamento. Há, pois, uma asfi-

---

[3] *Op. cit.*, p. 18.

[4] Cf. Krzysztof Pomian, "Tempo/temporalidade", in: Fernando Gil (coord.), *Enciclopédia Einaudi, 29. Tempo/Temporalidade*, Lisboa: Einaudi/Imprensa Nacional-Casa da Moeda, 1993, p. 11-91.

xia ou, se quisermos, uma imposição claustrofóbica do instante e do finito que nos dirige a alucinações em busca do absoluto. Ou, ao menos, em busca de evasão do tempo finito e, por assim dizer, pomiano, com implicações sérias sobre a ideia de futuro. A alucinação da espera do tempo futuro compensa a alucinação originária da fixação no efêmero.

A evasão do efêmero pode bem tomar a forma daquilo que Fernando Gil, em obra inspirada, designou como a "concentração do infinito no indivíduo".[5] Por força de recursos alucinatórios – de operadores de infinito –, projetamos sobre os instantes e os fragmentos do tempo – vale dizer, sobre os vestígios da experiência imediata – imagens diversas do absoluto. Hegel parece ter sido um campeão indisputado quando viu na imagem equestre de Napoleão Bonaparte vitorioso nada menos do que o Espírito Absoluto. Dessa precipitação do infinito sobre o singular resulta um vínculo indissolúvel, segundo o qual o que aparece como efêmero vincula-se de modo essencial a algum absoluto, capaz de exercer sobre nós o fascínio e o entorpecimento da perenidade.

A própria ideia de experiência é transfigurada: a vivência imediata só adquire sentido na perspectiva do que a excede, do que nela não se encontra, e sim do que a ela adicionamos por atos de espera. Trata-se de uma vontade de suplementação que exige a incorporação do tempo,

[5] "A concentração do infinito no indivíduo precipita a razão na existência". Cf. Fernando Gil, *A convicção*, Porto: Campo das Letras, 2003, p. 138.

sob a forma de futuro, como exigência existencial e cognitiva para a própria representação do presente e do imediato, e para a nossa projeção no tempo. Vivemos mesmo mal no tempo confinado ao instante: são as nossas alucinações regressivas – o passado que trazemos à algibeira – e antecipatórias – o futuro que "*sabemos*" existir – que nos fornecem meios de respiração existencial. Não há identidade pessoal possível fora do raio de ação de uma *vontade de suplementação*. No limite, e como paroxismo, dá-se o desejo do absoluto e de sua decorrente precipitação sobre o abismo das coisas finitas.

Estamos familiarizados com algumas formas genéricas de recurso ao absoluto. Na origem mesma do experimento ocidental, e de nenhuma forma a ele restrito, entre os primeiros pensadores gregos, impôs-se uma tensão entre a percepção de incompletude e precariedade do mundo fenomênico e as promessas de elucidação assentes na intuição de um princípio único, originário e absoluto.

Com efeito, aprendemos com Platão, no diálogo *Timeu*, o quanto a materialidade das coisas finitas se apresenta como experimento lapsário e imperfeito, marcado por uma falha original, contida na ousadia de conferir concretude ao que antes subsistia de modo autossuficiente e absoluto, como forma pura e intocada tanto pelos acidentes do mundo como por nossos erros perceptuais.[6]

Já naquela altura estariam postos elementos suficientes para uma hipotética arqueologia da demanda

[6] Cf. Francis Macdonald Cornford, *Plato's Cosmology: The* Timaeus *of Plato*, London: Routledge & Kegan Paul, 1952.

pelo absoluto. Uma demanda que já se fazia antiga à época dos diálogos de Platão, antecedida em mais de um século pela intuição e pela imagem de Anaximandro de Mileto (c. 610-547 antes da Era Comum), a respeito da preexistência de um ilimitado originário – o *ápeiron* – do qual as coisas finitas e limitadas se teriam desprendido, para a ele retornar, "segundo a ordem do tempo".[7] Isto, para nada dizer da intuição ainda mais arcaica de Tales de Mileto, a respeito da presença ordenadora de um princípio originário – a *arché* – sobre todas as coisas que existem.[8]

O exemplo originário de Tales de Mileto, tido e reconhecido como o primeiro filósofo, nos idos do século VI antes da Era Comum, ajuda-nos bem a entender a tensão que menciono, entre a percepção de um mundo sensível variado e desordenado e a intuição de ordem e unidade. Sua observação do mundo, composto por uma variedade de objetos e situações, foi submetida a uma intuição que lhe dizia que, a despeito da desordem aparente das coisas, tudo deriva de um princípio único e originário. Segundo Friedrich Nietzsche, em inspirada interpretação, já em Tales ter-se-ia manifestado uma característica da imaginação filosófica: ao contrário da ciência, necessariamente experi-

---

[7] Citação do fragmento de Anaximandro, tal como feita por Friedrich Nietzsche, em *A filosofia na época trágica dos gregos*, § 4, com tradução de Rubens Rodrigues Torres Filho, *apud* José Cavalcante de Souza (org.), *Os pré-socráticos: fragmentos, doxografia e comentários*, São Paulo: Abril Cultural, 1978, coleção "Os Pensadores".

[8] Ver o inspirado comentário de Nietzsche a respeito de Tales de Mileto, in José Cavalcante de Souza, *op. cit.*, p. 10-12.

mental, a filosofia teria o "seu pé alçado por uma potência alheia, ilógica, a fantasia". No caso de Tales, este teria sido o efeito específico: "Assim contemplou Tales a unidade de tudo que é; e quando quis comunicar-se, falou da água!"[9]

A própria fabulação dos filósofos atomistas antigos, desenvolvida posteriormente entre os gregos por Demócrito de Abdera (c. 460-370 antes da Era Comum) e por Leucipo de Mileto (c. 500-430 antes da Era Comum), ainda que negasse a força originária de uma unidade absoluta, trouxe-nos a imagem de um absoluto sustentado em um princípio de indeterminação. Para eles, tanto os corpos físicos como o vazio – ou os intervalos entre eles – resultariam do movimento errático de átomos invisíveis. Leucipo, de acordo com fragmentos restantes e escassos, teria escrito uma obra de sabor delicioso: *A grande ordem do mundo*. O principal fragmento subsistente é, ele mesmo, uma sucessão atomizada de imagens: "Átomos, maciços, grande vazio, seção, ritmo, contato, direção, entrelaçamento, turbilhão..."[10] A totalidade desses átomos, em todos os mundos possíveis, constitui uma adorável e anárquica versão do absoluto.[11]

Fora de uma incursão pela história da filosofia, uma breve história das imagens do absoluto poderia revelar

---

[9] Idem, p. 11-12.

[10] Ver Leucipo de Mileto, Fragmento 1 a, in: José Cavalcante de Souza (org.), *op. cit.*, p. 297.

[11] Para a fabulação atomista, ver o tão belo quanto incontornável livro de Charles Mugler, *Deux thèmes de la cosmologie grecque: devenir cyclique et pluralité des mondes*, Paris: Librairie C. Klincksieck, 1953, esp. cap. IV, "La pluralité des mondes: substitution d'une représentation cosmologique nouvelle au mythe du retour éternel", p. 154-85.

outras modalidades também frequentes, entre as quais sobressaem as afirmações do *absoluto como experiência religiosa* e do *absoluto como experiência na história*. Ambas as versões, para além dos operadores particulares a cada uma delas, têm como suporte a imagem de uma grande cadeia do ser, na qual toda variação possível está arquetipicamente definida à partida. Uma bela representação da cadeia pode ser encontrada na ilustração a seguir, presente na *Rhetorica christiana*, de Diego de Valadés (1579).

A imagem foi tratada por um dos grandes livros do século XX, *A grande cadeia do ser*, do filósofo Arthur Lovejoy.[12] A virada hiper-historicista no campo da história das ideias, associada à moda da "história dos conceitos", condenou Lovejoy à irrelevância, já que sua abordagem é marcadamente filosófica e intertemporal. Lovejoy quer nos fazer crer, com ótimos argumentos, na presença de ideias unificadoras (*unit-ideas*) – de suposições implícitas *(implicit assumptions)* ou hábitos mentais inconscientes *(unconscious mental habits)* – fixadas em sistemas de pensamento e de representação do mundo distintos, vinculados a circunstâncias históricas díspares.

O excessivo historicismo, sempre em busca do que singulariza cada sistema de representação, e do que o faz pregnante ao que se supõe ser o contexto originário que lhe daria sentido, perde de vista tais recorrências de substância, que se manifestam por meio do que Lovejoy designa

[12] Cf. obra matricial de Arthur Lovejoy, *The Great Chain of Being: a Study of the History of an Idea*, Cambridge/London: Harvard University Press, 1936.

Grande cadeia do ser

Diego de Valadés, 1579

Desenho presente na *Rethorica christiana*

por ideias unificadoras (*unit-ideas*). O termo possui forte analogia com aquilo que os teóricos da metáfora designam ora como metáforas básicas (*basic metaphors*),[13] ora como metáforas fortes e vitais (*strong and vital metaphors*).[14]

Jorge Luis Borges, em ensaio memorável, "La esfera de Pascal", parece aderir à ideia de que os sistemas particulares de pensamento apoiam-se em metáforas ou ideias mais genéricas, quando sustenta que "talvez a história universal seja a história de algumas tantas metáforas" ("*quizá la historia universal es la historia de unas cuantas metáforas*").[15] Borges, a propósito, toma no ensaio citado a imagem da esfera do pensador medieval Alain de Lille como metáfora que estabelece uma forma própria de sensibilidade, com efeitos fundamentais na configuração da experiência. A imagem de Alain de Lille, na verdade, pode ser compreendida como uma das versões possíveis da intuição, ainda mais genérica, da grande cadeia do ser: "Deus é uma esfera inteligível, cujo centro está em todas as partes e a circunferência em nenhuma" ("*Dios es una esfera inteligibile, cuyo centro está en todas las partes y la circunferéncia en ninguna*").[16]

---

[13] Cf. Mark Turner, *Death is the Mother of Beauty: mind, metaphor and criticism*, Chicago: The Chicago University Press, 1987.

[14] Cf. Max Black, "More about metaphor", in: Andrew Ortony (org.), *Metaphors and Thought*, Cambridge: Cambridge University Press, 1979.

[15] Cf. Jorge Luis Borges, "La esfera de Pascal", in: Jorge Luis Borges, *Otras inquisiciones*, Buenos Aires: Emecé, 1970, p. 13.

[16] *Apud* Jorge Luis Borges, in: "La esfera de Pascal", *op. cit.*, p. 14. Caberá a Pascal, logo a ele, uma versão naturalista e secularizada da imagem de Alain de Lille: "*La naturaleza es una esfera infinita, cuyo centro está en todas las partes y la circunferéncia en ninguna*". Idem, p. 17.

Arthur Lovejoy, em *The Great Chain of Being*, traça-nos a história filosófica dessa megaimagem, desde seus tempos platônicos até o século XVII, com a imagem de Leibniz, do mundo criado por Deus como o melhor dos mundos possíveis. A força da imagem reside nos efeitos de unidade que segrega, mais do que nos conteúdos contingentes aos quais ela se aplica. Tais efeitos, segundo Lovejoy, resultam da operação de três princípios, a saber: (i) princípio de plenitude; (ii) princípio da gradação contínua; e (iii) princípio de expansividade e de autotranscendência do bem.

O primeiro deles, o princípio da plenitude, constitui-se como base de representações do mundo que o apresentam como completo: não há lacunas na existência; este mundo, ao mesmo tempo que é exaustivo, é o melhor dos mundos possíveis. Não há nele falhas e, por consequência, não há imperativos de suplementação: o mundo/universo foi constituído por um operador de plenitude, um semeador ou polinizador originário que lhe atribuiu o máximo de existência possível. Não há, pois, lugar e ocasião para a negatividade e para a sensibilidade lacunar.

A gradação contínua, inscrita no segundo princípio, indica a presença, no interior da cadeia, de uma hierarquia dos existentes, comandada por um deflagrador originário, que dá passagem ao que dele resulta por meio de círculos sucessivos de existências derivadas. O atributo "realidade", em seu sentido absoluto, é algo inscrito nessa potência originária que, por meio de efeitos de fertilização, poliniza o universo, criando ordens de existência derivadas.

Por fim, a expansividade do bem, posta pelo terceiro princípio, deve-se à presença de uma potência que fixa o sentido e a propensão natural de toda a cadeia: é o próprio ordenamento que manifesta, por meio de um efeito estético, a sobre-eminência do bem. Em outros termos, a ordem que vincula todas as coisas é, em si mesma, o atributo fulcral pelo qual o bem se faz pregnante a toda experiência possível. *A grande cadeia do ser* impõe-se como gramática irrecusável do absoluto: trata-se, na verdade, de uma condição necessária para a configuração de intuições de absoluto. Nesse sentido, ela contém a forma metafísica do absoluto.

Da intuição do absoluto proporcionada pela experiência religiosa do cristianismo medieval, por exemplo, emerge uma ideia de futuro como escatologia, como repouso final do vir a ser, como lugar e momento no qual o tempo encontrará tanto solução quanto elucidação. A intuição do efêmero é desfeita na perspectiva dessa elucidação final. Já a imagem do absoluto como história, como forma secularizada da intuição originária da grande cadeia do ser, torna-se disponível a partir do século XVIII, quando a hipótese do absoluto se apresenta como condição de elucidação do tempo histórico – e não apenas de Deus e da natureza. Tal extensão das propriedades do absoluto é fundante da imagem de um tempo presente em si mesmo incompleto, com a correspondente eleição do futuro como lugar – *topos* – de elucidação de todo o trajeto e de afirmação de plenitude. Um tempo cuja precipitação deve cessar, uma vez atingido o *telos* do esclarecimento do trajeto: assim a razão para Hegel ou o comunismo para Marx: em algum momento o tempo transmuta em repetição de um *nec plus ultra*, de uma nada-de-melhor-pode-existir, de um estado com relação ao qual nada de superior e mais completo pode ser pensado. Ou, de um modo mais genérico, da evidência de um nada-mais-a-esperar.

Cabe menção, ainda que brevíssima, à contrafação escocesa da precipitação da grande cadeia do ser sobre a experiência histórica. Adam Ferguson[17] e David Hume,[18] cada um a seu modo, estabeleceram, também no século XVIII – precedidos nesse particular pelo genial *Dictionnaire* de Pierre Bayle, no século anterior –, as bases de uma historiografia cética e experimental.[19] O que disto resultou foi uma imagem de história atravessada

[17] Ver Adam Ferguson, *An Essay on the History of Civil Society*, Cambridge: Cambridge University Press, 1996.

[18] Ver David Hume, *The History of England*, Indianapolis: The Liberty Fund, 1983. Ver também o ensaio clássico de Richard Popkin, "Hume: Philosophical Versus Prophetic Historian", in: Kenneth R. Merril e Robert W. Shahan (org.), *David Hume: Many-sided Genius*, Norman: University of Oklahoma Press, 1976, p. 83-96.

[19] A respeito de Pierre Bayle, ver a excelente seleção feita por Fernando Bahr, in: Pierre Bayle, *Diccionario historico y crítico* (selección), seleção, tradução, prólogo e notas de Fernando Bahr, Buenos Aires: El Cuenco de Plata/Hojas del Arca, 2010. Comentário primoroso sobre Bayle pode ser encontrado em Gianni Paganini, *Analisi della fede e critica della ragione nella filosofia di Pierre Bayle*, Firenze: La Nuova Italia, 1980. Eu mesmo ocupei-me de Bayle em dois ensaios: "Montaigne's and Bayle's Variations: The Philosophical Form of Skepticism in Politics", in: José Maia Neto, Gianni Paganini e John Christian Laursen (org.), *Skepticism in the Modern Age*, Leiden: Brill, 2009, p. 211-30, e "O experimento Bayle: forma filosófica, ceticismo, crença e configuração do mundo humano", Kriterion 50 (120), 2009, p. 461-75.

pela indeterminação e pela força imparável dos "efeitos de composição", cujos resultados não são prefiguráveis. Uma história que se constitui pela ação e não pelo desígnio e cujo sentido é contemporâneo de si mesmo, embora gerador de muitos sentidos possíveis. Tal história não realiza desígnios e tampouco anda à procura de um término elucidativo. Sendo finita e lacunar, ela se apresenta como experimento aberto e sem projeção antecipável no futuro. É tal concepção não finalista do tempo e da história que se encontra nas raízes de dois dos mais geniais esforços intelectuais de compreensão do experimento moderno no século XX, contidos nas obras de Norbert Elias e Hans Blumenberg.[20]

No quadro da filosofia do século XVIII, a mais poderosa máquina de guerra concebida para a refutação da intuição da cadeia do ser foi posta por David Hume, em seus *Diálogos sobre a religião natural*, publicados postumamente em 1779, nos quais a ideia de desígnio, como força motriz, tanto da natureza como da vida histórica e social, é posta sob forte reserva cética.[21] A intuição de uma ordem genérica seria tão somente a extrapolação de experimentos singulares e pontuais, nos quais o desígnio humano prefigura resultados controlados. Assim, da observação dos efeitos da arte de um arquiteto na construção de uma casa, infere-se a operação onisciente e onipresen-

[20] Ver, em especial, de Norbert Elias, *O processo civilizador*, Rio de Janeiro: Jorge Zahar, 1990 (1939), e de Hans Blumenberg, *The Legitimacy of the Modern Age*, Cambridge, MA: The MIT Press, 1983 (1966).

[21] Ver David Hume, *Diálogos sobre a religião natural*, São Paulo: Martins Fontes, 1992.

te de um Arquiteto do Universo, ou de um megaprincípio de fertilização causal, tal como o da grande cadeia do ser, que presidiria os avatares do tempo.[22]

A sensação de que o futuro já não é mais como era parece inscrever-se na perspectiva do absoluto como história. Com efeito, o enunciado da sensação é inteligível na medida em que se consegue dar sentido à imagem de um futuro elaborado como "cenário", como algo diante do qual seríamos capazes de exercer um juízo de constatação: algo passível de ser representado como "o futuro", tanto quanto sou capaz de representar um objeto exterior a mim e dado à percepção de todos. Uma das canções de Caetano Veloso, "Um índio" (1977), ilustra bem o ponto: em dado momento nela aparece a expressão "virá que eu vi", como marcador inequívoco de certeza e afirmação antecipada de um princípio de realidade, à espera de que o passar do tempo instaure sua plena positividade.[23] Tal "constatividade" do futuro - a propriedade de coisas que podem ser constatadas - autoriza uma sentença como esta: "ontem eu tinha uma *visão* do futuro diversa da que tenho hoje", fundada em algo que pode ser designado como uma abordagem situacional do futuro.

Tal abordagem tem como suporte a crença de que a história é o recipiente do futuro, da mesma forma que um bloco de mármore branco "continha" o *Davi*,

[22] Cf. Renato Lessa, "David Hume, Religion, and Human Accomplishments: Whose Design?", in: Sébastien Charles (org.), *Hume et la religion: nouvelles perspectives, nouveaux enjeux*, Hildesheim, Zürich, New York: George Olms Verlag, 2013.

[23] A canção "Um índio" foi lançada em 1977, no álbum *Bicho* (faixa 5).

de Michelangelo. O futuro residiria, portanto, em algum lugar na história, tanto como certeza quanto como possibilidade. Dizer que o futuro está na história, mais do que afirmá-lo como um dos modos do tempo, implica operar com uma filosofia da história para a qual o futuro, de algum modo, existe. Não só existe, como é prefigurável por exercícios de simulação, constituídos por certo fora da jurisdição objetiva do tempo futuro, mas que indicam por atos de antecipação alucinatória o trajeto que a ele nos levará. A ideia, portanto, de um futuro-que-já-não-mais-é-como-foi – como oposto e simétrico do futuro-virá-que-eu-vi – diz respeito a um colapso nos sistemas de antecipações do futuro: de algum modo a feliz sucessão de imagens de futuro, que se apresentam como correções e/ou superações dos presentes nos quais são elaboradas, ter-se-ia interrompido.

É possível que o que se apresente para nós seja tão somente uma experiência de invisibilidade do futuro. Tal "invisibilidade", por sua vez, não pode ser sustentada a partir de alguma frustração com nossa experiência com o futuro (algo possível apenas nos termos do protocolo "virá que eu vi"). Ao contrário, é a experiência de perceber o futuro como invisível – ou como algo que não mais está entre nós – que requer inspeção, e tal inspeção exige uma arqueologia de nossos estados de espera.

A espera é o operador necessário que nos ata ao futuro. Um nexo do qual não podemos abrir mão, já que o futuro é de modo inapelável o objeto de nossas expectativas de sentido. Se algo colapsa nas expectativas de futuro, o sujeito da espera não poderá sair incólume dessa falha. Não se poderá debitar o abismo das expectativas na conta da suposta exaustão das energias utópicas. Há que pôr sob foco a natureza desse operador e dar passagem a uma arqueologia possível da espera.

Fernando Gil, em seu *Tratado da evidência*, bem definiu a noção de "operador". Trata-se de "um algoritmo susceptível de construir uma expressão nova a partir de expressões já formadas" e de "um dispositivo específico de transformação".[24] Paulo Tunhas, em comentário inspirado ao *Tratado da evidência*, acrescentou a ideia de que os operadores são "uma força de construção".[25] Tanto enunciados filosóficos como movimentos epistêmicos do sujeito procedem por meio de operadores; estes, na verdade, podem ser percebidos como condutores de efeitos, como portadores práticos da potência das intuições e dos enunciados. Em linguagem mundana, operadores são como os aplicativos que acabaram por nos colonizar. Vazios de conteúdos particulares, uma vez alimentados fazem ver e valer seus efeitos, tanto cognitivos como práticos. Um conceito filosófico ou, como bem pôs o filósofo português Paulo Tunhas, uma dada "maneira de pensar" funcionam como algoritmos que trituram, processam e dão sentido ao tumulto das nossas percepções, ao feixe imparável de impressões

[24] Cf. Fernando Gil, *Tratado da evidência*, Lisboa: Imprensa Nacional--Casa da Moeda, 1996, § 141, p. 220.

[25] Cf. Paulo Tunhas, "Tomar a evidência a sério", in: Fernando Gil, *Modos da evidência*, Lisboa: Imprensa Nacional-Casa da Moeda, 1998, p. 347.

que compõe o que habituamos a designar como sendo a nossa "mente".[26]

A noção cartesiana de *cogito*, por exemplo, pode ser tomada como um operador específico que produz efeitos tanto em nossa representação do que seja a mente como a do que seja a matéria extensa. Não basta, pois, que o *cogito* seja uma pura intuição: para que passe ao ato tem que se configurar como um operador. No plano propriamente epistêmico, interno aos circuitos que se dão dentro de nós, a crença pode ser também tomada como um operador de verdade, assim como o são a convicção e a certeza. Em outros termos, trata-se da crença que, do interior do sujeito, opera e dá passagem a atos diversos e particulares de crenças, afetadas pelas circunstâncias do mundo. O mesmo se aplica às intuições particulares de certeza e de convicção, que exigem extratos epistêmicos mais fundos de acolhimento e sustentação.

A indagação a respeito dos operadores de espera deve, então, percorrer duas vias distintas, que podem ser, respectivamente, definidas como (i) internalista e (ii) externalista, a saber:

(i) a da atenção aos "algoritmos", "forças de construção" ou "aplicativos" – fixados no sujeito, fun-

---

[26] Cf. Paulo Tunhas, *O pensamento e seus objectos: maneiras de pensar e sistemas filosóficos*, Porto: MLAG/Universidade do Porto, 2015. A imagem do "feixe de impressões" como sendo a realidade primária a qual designamos como "mente" não é, infelizmente, autóctone. Ela foi posta de modo genial por David Hume em seu *Tratado da natureza humana*. Ver David Hume, *Tratado da natureza humana* (trad. Debora Danowski), São Paulo: Unesp, 2001 (1739), p. 240.

damentais para o que representamos como um animal em estado de espera;

(ii) a da detecção de "dispositivos específicos de transformação" – ou expectativas substantivas e dotadas de conteúdo –, presentes em sistemas de representação e configuração da experiência com o tempo e com o futuro.

Trata-se de pensar o futuro como algo fixado em uma intuição de tempo, cujos operadores pertencem a circuitos epistêmicos do sujeito anteriores às circunstâncias do mundo. Uma abordagem epistêmica do futuro é, pois, o que se apresenta, distinta de uma abordagem situacional do futuro. Trata-se de cuidar da questão de saber o que no sujeito fixa a crença no futuro ou simplesmente a crença de que há um tempo futuro. Suspeito que se apresente algo, por definição, indemonstrável e "im-provável", mas é bem possível que os circuitos alucinatórios que marcam nossos estados de espera se deem a ver. Os passos seguintes deste ensaio procurarão explorar, pela ordem, as vertentes internalista e externalista da investigação a respeito de uma arqueologia da espera.

Segundo movimento: do que em nós faz esperar

A ideia de tempo futuro, assim como sua vivência psicológica, resulta de um exercício de alucinação antecipatória, uma operação vinculada ao que se poderia designar como o modo da espera. Não há vivência do futuro – por definição alucinatória – que não esteja vinculada a estados de espera. É mesmo da natureza da alucinação específica que constitui desenhos de futuro a mobilização de disposições de espera. Em outros termos, a espera é constituinte da alucinação que nos projeta no futuro.

Desde já, uma imprecisão deve ser evitada. Não há associação necessária entre esperar e querer, ainda que os dois verbos nos dirijam ao futuro. Em notação ainda mais restrita, devo admitir, mesmo levando em conta que alucinações antecipatórias se dão no modo da espera, a possibilidade de se dizer: "espero que o que 'vejo' no futuro não ocorra". Devemos, pois, estabelecer uma distinção entre "espera" em sentido comum – ordinário – e "espera" como operador epistêmico, mais fundo. O primeiro sentido tem suporte semântico na sentença "espero que isto nunca aconteça", e confunde-se com o "querer".

O segundo sentido está contido na ideia mais fundamental de que quaisquer que sejam o conteúdo contingente e a direção da vontade, falar do futuro é vestígio da presença de uma crença básica a respeito da abertura de horizontes de possibilidades, não postas no tempo presente. Ademais, não há relação de implicação necessária entre "esperar" e "querer". Se adepto, por exemplo, de uma ética radicalmente hedonista e fixada no imediato, dar-se-á em mim, na verdade, uma funda dissociação entre "esperar" e "querer": diante do meu querer imediato e inegociável, o vocabulário da "espera" aparecerá como enfraquecimento e mesmo como supressão de uma vontade que toma para si a função de operador absoluto.

Lembramos do passado, vivemos o presente e esperamos o futuro. Lembrar, viver, esperar: os marcadores verbais estão aqui a indicar diferentes modalidades de experiência do sujeito com o tempo e com a história. Trata-se de um sistema de verbos psicológicos, expressivos de um conjunto de ações internas ao sujeito. Seu modo mais vívido de expressão dá-se na inflexão da primeira pessoa: eu lembro, eu vivo, eu espero. Parece claro o vínculo entre formas expressivas na primeira pessoa e usufruto interno e epistêmico de experiências de certeza e de convicção.

Ainda que a direção do juízo possa implicar incerteza a respeito de algo, presente em sentenças do tipo "parece-me que talvez não seja o caso de x", trata-se de um falibilismo de ordem epistemológica: não estou seguro de que "x seja o caso". Tal reserva cognitiva, contudo, não elimina o fato interno, de natureza epistêmica, de que para o sujeito é verdade que a ele o mundo parece incerto. Dito de outro modo, operadores epistemológicos de incerteza podem bem estar apoiados em operadores epistêmicos de certeza. Por essa via, pode-se bem perceber o quanto a incerteza de si é existencialmente desestabilizadora.[27]

[27] Para uma análise do experimento radical da incerteza de si, ver o extraordinário ensaio de Fernando Gil a respeito de Sá de Miranda, "As inevidências do eu", in: Fernando Gil e Helder Macedo, *Viagens do olhar*, Porto: Círculo das Letras, 1998, p. 229-69, e também – em chave menor – o ensaio incluído neste livro, intitulado "Crença, descrença de si, evidência: a propósito de uma fábula de Luigi Pirandello".

É claro, desde já, que outros operadores verbais poderão estar à disposição, quando alucinamos o passado, o presente e o futuro. Contudo, "lembrar", "viver" e "esperar" são suportes necessários para os muitos operadores verbais postos em uso quando lidamos com a divisão do tempo. Se, por exemplo, lamentarmos pelo passado que tivemos, tal ato de lamento exigirá como condição de possibilidade a operação da lembrança. Nesse sentido, lamentar será um atributo ou um dos modos possíveis de lembrar. Uma possível cisão entre lembrar e lamentar, presente em uma lamentação pelo esquecimento de algo, não faz senão pôr a lembrança como operador de acesso ao passado.

Da mesma forma, se odiarmos o presente, odiamo-lo porque o vivemos. Mais uma vez, é clara a regra de implicação: é do ato de viver que se segue o sentimento de odiar: se vivo, sou capaz de odiar. Com relação ao futuro, se o temermos, isto deve-se a uma afetação de nosso espírito sustentada na operação básica da espera. Pode-se dizer, nesse caso, que o sentimento do medo se instalou em nossas esperanças e expectativas.

Lembrar, viver e esperar aparecem pois como operadores necessários de vivências, respectivamente, do passado, do presente e do futuro. Penso, assim, ter indicado, de modo sumário, o quanto da relação com o tempo é marcada por modos específicos de alucinação, exprimidos por operadores linguísticos igualmente precisos. Mesmo quando a alucinação do futuro põe-se a serviço do desespero, o suporte epistêmico deste último é estabelecido pelo modo da espera. O desespero, nessa chave, é a espera em registro negativo. É, para pôr de outro modo, a espera cancelada, vivida por um sujeito para quem a espera é um marcador existencial inegociável. O desespero revela a espera em seu estado de pura negatividade.

O lema "o futuro já não é mais como era" parece sugerir uma trapaça para com a tripartição da experiência com o tempo que aqui adoto. Com efeito, não está ele – ao dizer que o futuro já não é como era – a convidar-nos a lembrar do futuro? Uma defesa possível dirá que se trata, nesse caso, mais do que mobilizar o futuro, de lembrar de um passado, de um tempo, no qual esperávamos um determinado futuro. Tal lembrança de um passado que continha um desenho de futuro constitui, por sua vez, um passo para demonstrar que o que hoje esperamos já não corresponde mais a tal futuro-passado, que nos conduziu até onde estamos.

Que se ponha, agora, sob inspeção esse sujeito que espera. Que seja submetido a uma arqueologia da espera, que possa revelar estratos mais fundos presentes nos atos de espera e nas expectativas que o movem. Que se responda, enfim, à questão: o que é *isto* que espera?

Terceiro movimento: dos operadores da espera e da presunção de estabilidade

Se contemplarmos as relações que os humanos, como sujeitos de conhecimento, estabelecem com o mundo, relações nas quais um saber sobre o mundo é exercido, o sentido básico e ordinário da ideia de espera supõe a existência de um intervalo entre um instante determinado e sua finalidade. Quando esperamos, supomos que a rarefação e a incerteza dos estados de espera ganham concretude e elucidação quando o fim que se deseja e se anuncia acaba por se configurar.

É de se perguntar qual seria o lugar do desespero nessa espera. Desesperar significa, na mesma chave presente nos atos de espera, naufragar em uma experiência de mundo na qual a crença – ou seja, a certeza – na vigência de causas finais, ela mesma, colapsa. Sendo a causa final uma propriedade não natural do mundo – algo, portanto, que decorre de exclusiva atribuição humana de sentido –, o desespero tem parte com o tema da negatividade, pois, ao não cancelar a espera como operador humano indelével, acaba por preenchê-la de modo negativo. Dir-se-á de um preenchimento por meio da imposição de um vazio, de uma supressão. Nesse sentido, o desespero é um dos modos possíveis da espera. Com efeito, faz todo sentido imaginar que o desespero afete com maior impacto os que "investem" de modo mais intenso em atos de espera.

A lógica interna da espera traz consigo uma expectativa forte de complementação: atos de espera põem em ação uma associação entre expectativa e preenchimento:[28]

Pelo preenchimento de uma operação de conhecimento, um acto aparece como ligado àquilo que ele visa. O

[28] A principal referência para este segmento do texto é o ensaio de Fernando Gil, "Expectativa e preenchimento", in: Fernando Gil, *Modos da evidência*, Lisboa: Imprensa Nacional-Casa da Moeda, 1998, p. 65-77.

preenchimento situa-se na junção do operatório e do objectal, a operação culmina no estado de coisas que ela permite apreender e trazer à luz.[29]

Ludwig Wittgenstein imaginava o preenchimento, ao qual Fernando Gil faz menção, como algo análogo à ocupação de uma forma côncava pela forma convexa correspondente, um ajustamento de um cilindro a uma câmara cilíndrica. O encaixe perfeito é o que se quer, como resultado do preenchimento.[30] Apesar da metáfora um tanto fisicalista, Wittgenstein pensou a relação entre expectativa e preenchimento como "relação interna" e estabelecida por uma "gramática". Fernando Gil, por sua vez, abre seu ensaio "Expectativa e preenchimento" afirmando que o par indicado no título "pertence à arqueologia da evidência", já que é "uma estrutura arcaica da compreensão". Dessa forma, um ato de constatação - um ato objetivante, na notação adotada por Edmund Husserl - constitui nada menos do que o preenchimento de uma expectativa e é portador de um "sentimento de satisfação".[31]

[29] Cf. Fernando Gil, "O sentimento de inteligibilidade", in: Fernando Gil, *Modos da evidência*, *op. cit.*, p. 122. Ver também Fernando Gil, "A prova da profecia: a cópia antes do original", in: Fernando Gil e Helder Macedo, *Viagens do olhar*, *op. cit.*, p. 413-50.

[30] A analogia aparece em diversas passagens de Wittgenstein, entre as quais a proposição 43, parte I, das *Investigações filosóficas*, coleção "Os Pensadores", São Paulo: Abril, 1978.

[31] Cf. Fernando Gil, "Expectativa e preenchimento", *op. cit.*, p. 65.

O ponto que aqui pretendo sugerir é o de que o par referido – expectativa/preenchimento pode pertencer também à nossa estrutura arcaica das intuições de tempo futuro. Nos nossos estratos mais fundos há um paralelismo entre os princípios da evidência e o da espera. Assim como a evidência constitui um modelo originário para a inteligibilidade – por estabelecer verdades que parecem irrefutáveis ao sujeito –,[32] a espera-expectativa é um operador da intuição do tempo futuro, já que traz como implicação a necessidade do complemento, do que deve vir depois.

A espera, portanto, pode ser vista como uma disposição um tanto fideísta e como hipótese sobre o tempo. Mais do que isso: o caráter irremediavelmente hipotético do tempo futuro faz da espera um motor do tempo – um móvel, no sentido aristotélico do termo, do tempo; é aquilo que põe o tempo em movimento, tal como o vento o faz com o ar. Dizer que se trata de uma hipótese não é pouco. O sentido é o mesmo do indicado por Wittgenstein: "Uma hipótese é uma lei para a formação de proposições. Poder-se-ia dizer igualmente: uma hipótese é uma lei para a formação de expectativas."[33]

Mas tudo isso diz respeito ainda a uma experiência com o tempo e com a extensão como conjunto de vivên-

[32] Remeto aqui o leitor à passagem comentada no ensaio anterior "Crença, descrença de si, evidência: a propósito de uma fábula de Luigi Pirandello", a respeito da afirmação de Thomas Jefferson de partir, no preâmbulo da Declaração de Independência norte-americana, de "verdades autoevidentes", das quais sobressaem a "liberdade" e a "igualdade".

[33] Cf. Ludwig Wittgenstein, *Notas filosóficas*, § 228, *apud* Fernando Gil, "Expectativa e preenchimento", *op. cit.*, p. 74.

cias que se dão, por assim dizer, fora do sujeito. Afinal, o que separa o instante de sua causa final é algo que poderia ser designado como um intervalo de expectativas, a ser preenchido por sinais que afetam o sujeito, como efeito de sua produtividade alucinatória de fixação de causas finais. A espera, portanto, põe em ação uma vontade – um ato objetivante – que se dirige para o exterior do sujeito. Ainda que o usufruto final daquilo que se espera reverta para o âmbito da vivência introspectiva, privada e intransitiva do sujeito, a "conquista" daquilo que a vontade fixou na espera provém de algo que o sujeito pensa como existindo fora de si mesmo. Já se verá o quanto o suporte dessa expectativa exige uma crença natural na estabilidade e na regularidade do mundo.

Os atos de espera, contudo, não se limitam ao exterior, àquilo que o sujeito imagina existir fora de si e para o qual dirige sua vontade. Dito de outro modo, em forma de pergunta: se a espera é o móvel do tempo, qual o motor que move tal móvel? É ela, a espera, ativada apenas por imagens e objetos provenientes de algo que o sujeito fixa em um exterior qualquer – não importa se "realmente existente" – ou repousa ela sobre estratos internos ao sujeito e anteriores à fixação dos próprios objetos de espera? A suposição que pretendo explorar é a de que a espera, assim como a expectativa, a esperança, a intenção, a crença, o voto – este no sentido de Bertrand Russell, para quem uma "constatação" é expressão de um voto e de um desejo –, constituem, na expressão utilizada por Fernando Gil, "atitudes proposicionais" e são figuras que bem correspondem àquilo que Edmund Husserl determina como "atos não objetivantes".

Na perspectiva adotada por Husserl, os atos intencionais da consciência combinam "atos objetivantes" e "atos não objetivantes".[34] Os primeiros dizem respeito às representações e à consciência de objetos, implicando, dessa forma, uma relação do sujeito com o que lhe é – ou parece ser – exterior. Os atos não objetivantes são atos categoriais originários e preenchedores de significação, tais como a alegria, a aspiração, o prazer estético, o desejo, a volição etc. A série tem afinidade com a indicada por Wittgenstein: além da expectativa, a intenção, a esperança, a crença, o voto. Pode-se dizer que atos não objetivantes, ou atitudes proposicionais, são, em si mesmos, atos com implicações práticas, constituidores da vontade, ainda que seus conteúdos contingentes sejam pautados pelo "exterior". Trata-se, sobretudo, de uma dimensão formal em ação, e não de uma reserva interna intocada pelo mundo exterior e sempre idêntica a si mesma. Nesse sentido, as atitudes proposicionais e os atos não objetivantes são, a um só tempo, elementos ativos e vazios de significado.

O sujeito capturado pela expectativa – ou espera – por um determinado conteúdo de mundo, antes de ser sociologicamente configurado como portador de uma

---

[34] Cf. Edmund Husserl, *Investigações lógicas*, coleção "Os Pensadores", São Paulo: Abril, 1975. Para uma boa apresentação do quadro husserliano dos atos intencionais de consciência, ver o ótimo livro de André de Muralt, *A metafísica do fenômeno: as origens medievais e a elaboração do pensamento fenomenológico*, São Paulo: Editora 34, 1998, p. 170.

esperança histórica específica, é dotado do atributo genérico de portar expectativas. Há que distinguir, pois, o que releva da história e das ciências sociais, que se ocupam de saber como os conteúdos são possíveis, e o que pode revelar uma inspeção que cuide dos estratos "arcaicos" da espera, como dimensão interna do sujeito. Tal inspeção pode tomar a forma de uma "gramática das expectativas", se, com Wittgenstein, supusermos que o preenchimento de expectativas dá-se sob a forma de "operações gramaticais". Pode dar, ainda, ensejo a uma investigação voltada para a compreensão filosófica dos "estratos arcaicos" indicados por Fernando Gil.

Os nexos entre expectativa/espera e preenchimento pressupõem a presença de um fundo – de uma reserva de permanência – constituído por regularidades. O ponto foi, mais uma vez, posto de modo claro por Fernando Gil: "toda a expectativa e toda a decepção de expectativa se perfilam contra regularidades".[35] O argumento associa-se ao desenvolvido por Wittgenstein em *Sobre a certeza*: as regularidades constituem um "pano de fundo" que "herdei, sobre cujo fundo eu distingo entre Verdadeiro e Falso".[36] O "pano de fundo" sustenta-se, por sua

---

[35] Cf. Fernando Gil, "Expectativa e preenchimento", *op. cit.*, p. 66.

[36] Cf. Ludwig Wittgenstein, *Sobre a certeza*, § 94, *apud* Fernando Gil, "Expectativa e preenchimento", *op. cit.*, p. 66, em tradução do próprio Fernando Gil. Na tradução portuguesa o parágrafo aparece assim: "[...] eu não obtive a minha imagem do mundo por me ter convencido da sua justeza, nem a mantenho porque me convenci da sua justeza. Pelo contrário, é o quadro de referências herdado que me faz distinguir o verdadeiro do falso." Cf. Ludwig Wittgenstein, *Da certeza*, Lisboa: Edições 70, 2000, § 94, p. 41, trad. Maria Elisa Costa.

vez, em conjuntos de "verdades" e de "sistemas coletivos de referência", designados por Wittgenstein pelo termo alemão *Weltbilder* – algo aproximado a "imagens de mundos". No comentário de Van Wright a Wittgenstein, o *Weltbild* é, antes de tudo, um pré-conhecimento.[37]

A ideia de que nossas expectativas decorrem de um "pano de fundo" ou de "sistemas de referência" parece abrigar uma hipótese externalista. Com efeito, a ideia de "herança" põe em ação os circuitos da socialização que, de modo inegável, afetam as estruturas de expectativas e as diversas modalidades da espera. No entanto, Wittgenstein, ainda em *Da certeza*, afasta a hipótese externalista:

> *Mas não será a experiência que nos ensina a fazer juízos* desta maneira, *isto é, que é correto julgar assim? Mas como é que a experiência nos* ensina, *então? É possível que* nós *consigamos isso através da experiência, mas a experiência não nos ensina a conseguir seja o que for da experiência. Se é o* fundamento *para nós julgarmos assim (e não apenas a causa), continuamos sem ter fundamento para encarar isso, por sua vez, como fundamento.*

No parágrafo seguinte – § 131 –, o ponto é ainda mais forte: "Não, a experiência não é o fundamento para o nosso jogo de juízos. Assim como também não o é o seu êxito notável."

---

[37] Cf. G. van Wright, *Wittgenstein*, Oxford: Oxford University Press, 1982, p. 49.

Do que se trata, então? Não estando fundado na experiência, sobre qual fundo está assentada nossa imagem do mundo? Não sendo de natureza sociológica, o que a faria dependente do fato da relatividade cultural, tal imagem assenta-se sobre "fatos muito gerais da natureza... aqueles que, por causa de sua generalidade, quase sempre não nos chamam a atenção".[38] Na seção 325 das *Investigações filosóficas*, "o fenômeno da certeza" aparece como dependente de "um sistema de hipóteses, de leis naturais".[39] Fernando Gil indica, ainda, que o "pré-conhecimento dos factos gerais da natureza e as imagens de mundo" materializam-se por meio de "sistemas de expectativas". Quer isto dizer que o fundo de todas essas operações está assentado em uma "presunção de uniformidade": "toda expectativa assenta nessa hipótese de constância".[40]

O argumento toma sua forma mais acabada na seguinte passagem das *Notas filosóficas* de Wittgenstein:

> *A nossa expectativa antecipa o acontecimento. Neste sentido, ela faz um modelo de acontecimento. Mas nós não podemos fazer um modelo de um fato senão* no *mundo em que vivemos – e é indiferente saber se ele é verdadeiro ou falso.*[41]

---

[38] Cf. Ludwig Wittgenstein, *Investigações filosóficas*, coleção "Os Pensadores", São Paulo: Editora Abril, 1979, parte II, 12, p. 221.

[39] Idem, p. 111.

[40] Cf. Fernando Gil, "Expectativa...", *op. cit.*, p. 67.

[41] Cf. Ludwig Wittgenstein, Notas filosóficas, seção 34, apud Fernando Gil, "Expectativa...", *op. cit.*, p. 67.

Fernando Gil resume belamente o ponto ao dizer que "os fatos da natureza, o mundo em que vivemos são o impensado da expectativa, a montante dela". São o que permitem a própria operação da expectativa. Seja por imposições gramaticais, ou por implicações de ordem psicológica, tal impensado sustenta-se em uma hipótese de uniformidade, pela qual as expectativas exigem uma presunção de estabilidade. Há, pois, uma arqueologia da espera sustentada em uma presunção de uniformidade, como suporte arcaico dos diversos sistemas de expectativas. É tal sistema natural que comporta a pretensão alucinatória de que a expectativa possa antecipar o acontecimento.

O caráter natural dessa expectativa/espera é, contudo, recusado por manifestações que encontramos no campo da arte contemporânea (séc. XX), ponto que será considerado em detalhe na próxima sessão deste ensaio. A suposição maior a ser desenvolvida é a de que a mudança radical nos parâmetros do gosto e da representação artística, ocorrida pela ação das vanguardas estéticas do início do século passado, não deve ser considerada um aspecto interno ao campo da arte, mas inovações culturais que afetam formas mais amplas de sensibilidade.

Assim, dirigimo-nos para a vertente externalista, e reencontramos a questão: que fatores podem conduzir a uma interrupção dos circuitos habituais entre expectativa e preenchimento e a própria ação dos operadores internos de espera? Não se trata de buscar *a* fonte determinante das experiências de colapso das expectativas, mas de tão somente indicar, de modo abertamente experimental, um fator, a meu juízo, dotado de forte ressonância cultural na contemporaneidade, a incidir sobre as estruturas da sensibilidade e da cognição diante do mundo.

Quatro aspectos cruciais de afirmação do programa estético do século XX serão a seguir considerados. Enumero de antemão tais aspectos, com uma breve justificativa a respeito da seleção dos mesmos.

1. A estética dos retratos do pintor suíço Alberto Giacometti (1901-1966)

Alberto Giacometti, segundo inspirada observação de Jean-Paul Sartre, teria expulsado o mundo de suas telas. Sartre, com o comentário, indica a ausência na pintura de Giacometti de elementos usuais de realidade. Com efeito, os retratados de Giacometti não possuem fisionomia nítida e o contorno dos retratos não traz qualquer informação, digamos, situacional. O mundo ao redor é um vazio de significados e as fisionomias são sempre imprecisas.

2. A tela central do "suprematismo" russo – *Quadrado preto sobre fundo branco*, de autoria de Kazimir Malevich (1879-1935)

O suprematismo – movimento que contou com a revolucionária inventividade do artista russo Kazimir Malevich (1878-1935), entre outros – eliminou qualquer elemento figurativo das telas pintadas. Buscou, de modo alternativo, uma *apresentação* – mais do que uma *representação* – do absoluto, não limitada às formas dos objetos pictóricos tradicionais: paisagens, naturezas-mortas, retratos etc. Em seu lugar, cores e objetos geométricos; nada, enfim, que conecte a imagem a alguma experiência finita, tangível e imediata.[42]

3. Um conjunto de passagens de obras do escritor e dramaturgo Samuel Beckett (1906-1989)

Como nenhum outro dramaturgo e escritor do século XX, Samuel Beckett explorou de modo sistemático e detalhado os contornos de um mundo marcado pela suspensão e supressão dos sentidos usuais da vida. Com efeito, *Esperando Godot*, título de sua obra mais conhecida, acabou por se incorporar a nossa linguagem ordinária como expressão que denota a expectativa vazia e a espera pelo que talvez nunca venha. Além de passagens importantes da peça mencionada, outros fragmentos do dramaturgo irlandês serão considerados.

4. Fragmentos da crítica de arte elaborados por Alfred H. Barr Jr. (1902-1981) e Clement Greenberg (1909-1994)

Barr Jr. e Greenberg foram os maiores críticos de arte norte-americanos do século XX. Além de crítico, Barr

42. Para uma primeira aproximação conceitual a respeito do suprematismo, recomendo a consulta a Ian Chilvers (org.), *Dicionário Oxford de arte*, São Paulo: Martins Fontes, 2001, e a leitura do utilíssimo livro de Mel Gooding *Arte abstrata*, São Paulo: Cosac Naify, 2002, em especial o capítulo "Movimentos da arte moderna".

Jr. foi o primeiro curador do MoMA – Museu de Arte Moderna de Nova York. Foram, em uma síntese, os pensadores por excelência da arte abstrata norte-americana e da correspondente recusa do figurativismo e do naturalismo.

Creio não constituir exagero considerar tais exemplos expressões centrais da cultura estética da primeira metade do século XX.

Quarto movimento: deflação da expectativa

A retirada do futuro do horizonte de nossas expectativas é uma experiência fincada de modo indelével no campo da arte contemporânea – pictórica ou não –, desde o início do século passado, por meio da supressão da referencialidade. Com efeito, é o tema maior da supressão do sentido que se nos apresenta; um motivo comum das vanguardas estéticas no início do século XX, que incorporou princípios estranhos à tradição estética fundada na referencialidade, a saber: a opacidade – já que o sentido da obra não se mostra de modo evidente –, a incognoscibilidade – por não dar a ver objetos precisos, sobre os quais algum conhecimento seria possível – e a irrepresentabilidade – pela recusa de fazer do ato e do espaço pictóricos a representação de algo externo à obra, e cujo reconhecimento faria com que o percurso da compreensão se completasse.

O que se está aqui a sugerir é que, na observação estética pré-contemporânea, a referencialidade constituiu o pano de fundo sobre o qual expectativa e preenchimento complementam-se de modo não problemático, quer pela satisfação através do reconhecimento do efeito mimético, quer pela decepção por sua falha. De qualquer modo, referencialidade e estrutura habitual de expectativas que prefiguram seu preenchimento parecem andar a par. O que tenho em mente, na verdade, é o efeito gerado pelo genial *Retrato de Federico de Montefeltro*, duque de Urbino, pintado por Piero della Francesca entre 1465 e 1478.

Que fique claro que não se trata de dizer que Piero della Francesca pintou o mundo tal como ele era. Na verdade, Federico teve algum comando sobre a mimese de si mesmo ao apresentar-se do modo como se apresentou, com seu inacreditável nariz serrado na altura dos olhos para lhe facilitar a visão durante a caça. O fato é que o retrato pintado por Piero della Francesca constitui uma imagem de contexto bem definida, tanto na figura do duque como também na paisagem e, sobretudo, em sua posição na economia pictórica. A referencialidade à qual aludo não diz respeito a algo que se passe entre imagem e mundo, mas entre os componentes da obra. Nesse sentido, o quadro é modelar: representa tanto o personagem como o seu contexto. Não está aqui uma clara indicação de que transformação de algo em contexto resulta necessariamente de um ato de representação?

De qualquer modo, Piero – de um modo no qual já não se pode distinguir o que é contexto e o que é contextualizado – proporciona um "contexto" bem a serviço de

Retrato de Federico de Montefeltro, duque de Urbino
Piero della Francesca, c. 1470
Galeria dos Ofícios de Florença

seu retratado. É esse o juízo que podemos encontrar em obra clássica de Roberto Longhi, ao dizer que Piero *constrói* Federico de Montefeltro "unitariamente com aquele seu barrete ducal como o torreão de um castelo inexpugnável, alçando-se tão acima do horizonte".[43] A paisagem encontra-se, assim, em uma "posição de subordinação":[44] "É como se ele [Piero] visasse à declaração explícita de que as montanhas de propriedade de Federico se estendem a perder de vista, fazendo-se igualmente evidente que o duque domina terras e águas."[45]

O *Retrato de Federico de Montefeltro* pode, então, ser percebido como um marcador de referencialidade, segundo o qual o conjunto dos elementos pictóricos informa-nos algo a respeito da imagem. De modo mais preciso, a linguagem dos elementos de contexto dá passagem a mecanismos alucinatórios pelos quais nós – os espectadores – trazemos o mundo para a obra. Isso parece mesmo ser básico: nem mesmo os naturalistas trazem o mundo para suas obras; o que fazem é praticar uma linguagem pictórica que nos faz supor que o que se vê tem parte com a experiência do mundo. Somos nós, em imensa medida, que trazemos o mundo para os museus.

Meu argumento é o de que a quebra dessa possibilidade alucinatória tem efeito sobre a estrutura de nossas

---

[43] Cf. Roberto Longhi, *Piero della Francesca*, São Paulo: Cosac Naify, 2007, p. 81.

[44] Idem, p. 82.

[45] Idem, p. 83.

expectativas. Para dar suporte à suposição, considerarei, de modo breve e alusivo, quatro núcleos distintos de antirreferencialidade, a saber: (i) um retrato de autoria de Alberto Giacometti, exibido na exposição dedicada ao pintor, na Pinacoteca de São Paulo, em março de 2012; (ii) o quadro de Kazimir Malevich, *Quadrado negro*; (iii) excertos de *Molloy* (1951/1955), *Proust* (1931) e *Esperando Godot* (1953), de Samuel Beckett, de 1951 (versão original francesa) e 1955 (versão em inglês); e, por fim, (iv) a defesa da abstração por parte dos críticos de arte norte-americanos Alfred H. Barr Jr. e Clement Greenberg, na década de 1930. Vamos, pois, pela ordem.

1. Alberto Giacometti: expulsar o mundo

Em março de 2012, a Pinacoteca do Estado de São Paulo abrigou vasta exposição a respeito da obra de Alberto Giacometti, na verdade a primeira retrospectiva do gênero na América do Sul, composta por 280 trabalhos do artista, entre pinturas, esculturas, fotografias, gravuras e documentos.[46] Na exposição, um comentário de Jean-Paul Sartre ladeava um dos quadros no qual o personagem retratado na tela se fazia cercar do que parecia ser um contexto negativo ou completamente suprimido, em aberto contraste com o campo de significados inscrito na obra aqui mencionada de Piero della Francesca. Em primeiro lugar, a imagem; a seguir, o comentário de Sartre:

[46] Ver o excelente catálogo, assinado pela curadora Véronique Wiesinger, *Giacometti*, São Paulo: Cosac Naify, 2012.

Diego
Alberto Giacometti, 1953
Museu Guggenheim, Nova York

O comentário reproduzido de Sartre, feito em 1954, parte de uma questão geral para em seguida indicar a resposta específica que a ela teria sido dada por Giacometti: "Como pintar o vazio? Parece que ninguém tentou isso antes de Giacometti. Há quinhentos anos os quadros são abarrotados. O universo é neles inserido à força. Giacometti começa por expulsar o mundo de suas telas..."[47] O vazio, na verdade, aparece como invólucro negativo do que se mostra na obra, tendo como efeito a "expulsão do mundo". Se Sartre está certo – e desde já digo que está, pois estabeleceu um padrão possível de sensibilidade inscrito em nossa percepção dos retratos pintados por Giacometti –, o artista suíço ter-se-ia ocupado da representação da negatividade. Com efeito, Giacometti fixa suas figuras no vazio; não apenas possuem elas fisionomia indistinta – em trapaça aberta com o retratismo –, mas acabam submetidas ao envolvimento do vazio. Um vazio que dá sentido à falta de sentido e, daí, a impressões, intuições e sensações de falta de sentido. É mesmo perturbadora a experiência do vazio do fundamento, da negatividade.

Atinge, em particular, de modo impiedoso os limites da narrativa histórica e política para lidar com a negatividade e com o fenômeno da ausência. Ambas as narrativas – a histórica e a política – procedem de modo

[47] A passagem pertence ao ensaio de Sartre "As pinturas de Giacometti", in: Jean-Paul Sartre, *Alberto Giacometti*, São Paulo: WMF Martins Fontes, 2012, p. 57. O ensaio foi originalmente publicado na revista *Derrière le miroir*, 65, em maio de 1954, para acompanhar a exposição "Giacometti", na Galerie Maegh, naquele mesmo ano.

usual por meio de formas de argumentação sustentadas no princípio causalidade. O desafio da estética da negatividade reside em pôr a seguinte questão: como manter-se nos moldes da causalidade se um dos termos da relação de causação é necessariamente vazio? Em termos mais diretos, que sentido resulta da falta de sentido; ou de um sentido que se revela pela ostensão de sua falta absoluta? A genialidade de Giacometti – e de outros na mesma chave, tais como Francis Bacon –[48] resulta da utilização de elementos de referencialidade, para que, em uma trapaça com nossos modos usuais de percepção e de recepção, elimine as "informações de contexto", apresentando-nos, em seu lugar, o vazio.

O vazio, ao ocupar a posição-chave do "pano de fundo" no lugar da regularidade e dos pressupostos de estabilidade e de sentido, perturba os circuitos ordinários da conexão entre expectativa e preenchimento. O contraste com o circuito completo da expectativa, proporcionado pelo quadro de Piero della Francesca, é imenso. É claro que, diante de Giacometti, trata-se de um experimento estético, mas não se pode descurar do fato de que a sensibilidade estética é constitutiva dos nossos modos mais básicos de cognição e alucinação.

O tema do vazio como problema originário para a criação estética não é exclusivo do "ateliê de Giacometti" – em paráfrase ao livro genial de Jean Genet, a res-

[48] Dois livros cruciais para o nexo de Bacon com o problema do vazio ao qual aludo: David Sylvester, *Interview with Francis Bacon*, London: Thames and Hudson, 1975, e Michael Peppiatt, *Francis Bacon: Anatomy of an Enigma*, London: Constable, 1996.

peito do artista.[49] Pablo Picasso, em 1932, declarou que cada vez que iniciava um quadro tinha diante de si "a sensação de atirar-se no vazio". Max Beckmann, mesmo sendo um figurativista, não discrepou da sensação de Picasso ao representar a tela vazia como "espaço infinito, como primeiro plano sobre o qual se deve de modo incessante empilhar qualquer tipo de descarte para que não se perceba a morte terrível que a ele subjaz".[50] A experiência do vazio, para o artista e crítico britânico Timothy Hyman, teria feito da pintura do século passado um grande esforço – decerto plural e não coordenado – de "preenchimento do vazio (*peopling the void*)". Para Hyman, "os expressionistas experimentaram esse vazio, os dadaístas e os surrealistas fizeram dele uma tese a defender, os expressionistas abstratos, uma metafísica".[51] O mesmo poderia ser aplicado a grande parte da própria arte figurativa, posterior à emergência da abstração, tal como atesta o comentário de Max Beckmann: "Não tenho nenhuma necessidade de coisas abstratas, já que cada objeto já é suficientemente irreal, de um modo tal que o único modo de fazê-lo real é através da pintura."[52] A linguagem figurativa aparece, portanto, como desvin-

---

[49] Cf. Jean Genet, *O ateliê de Giacometti*, São Paulo: Cosac Naify, 2000.

[50] Para as referências a Picasso e a Max Beckmann, ver Timothy Hyman, *The World New Made: Figurative Painting in the Twentieth Century*, London: Thames and Hudson, 2016, p. 9.

[51] Idem, p. 10.

[52] Cf. Max Beckmann, "On my painting", in: Barbara Copeland Buenger (org.), *Max Beckmann Self-Portrait in Words: Collected Writtings and Statements, 1903-1950*, Chicago: University of Chicago Press, 1997.

culada de qualquer pretensão realista, já que, ainda com Beckmann – no mesmo texto –, "a realidade positiva e tangível" é percebida como "ilusão".

David Sylvester faz eco a Max Beckmann, ao dizer que Giacometti teria posto a "nu o desespero conhecido por todos os artistas que tentaram copiar o que veem". Um desespero que tem parte com a transitoriedade: "O transitório está por toda parte, nada pode ser recapturado."[53] As próprias esculturas de Giacometti trariam em si a intuição dessa transitoriedade: as "figuras em pé", tal como ele as designava, "sugerem objetos há muito enterrados que vieram à flor da terra para serem observados à luz".[54] Nesse sentido, são "fósseis que dão a ver sua circunstância transitória". Diante de uma tradição escultórica na qual, de acordo com Sartre, "há três mil anos, só se esculpem cadáveres", Giacometti teria descoberto um modo de "fazer um homem com pedra sem petrificá-lo".[55]

O comentário de Sartre, de 1954, retém o fundamental dessas considerações: Giacometti parece expulsar o mundo de suas telas. A passagem seguinte de David Sylvester soa inevitavelmente como complemento:

> *O aspecto mais surpreendente nas pinturas, e um pouco menos nos desenhos, é a densidade de seu espaço.*

---

[53] David Sylvester, "Perpetuando o transitório", in: David Sylvester, *Um olhar sobre Giacometti*, São Paulo: Cosac Naify, 2012, p. 18.

[54] Idem, p. 18.

[55] Cf. Jean-Paul Sartre, "A busca do absoluto", in: Jean-Paul Sartre, *Alberto Giacometti*, São Paulo: WMF Martins Fontes, 2012, p. 17-18. Ensaio originalmente publicado na revista *Les Temps Modernes*, 28, janeiro de 1948.

> *A atmosfera não é transparente: é tão visível quanto as formas sólidas que ela circunda, quase igualmente tangível. Além do mais, não está claro onde a forma termina e onde começa o espaço. Entre massa e espaço há uma espécie de interpenetração.*[56]

Vazio, expulsão do mundo, indistinção entre os limites da forma e do espaço: tudo isso a serviço de uma ideia de "sensação fugidia", vinculada ao esforço de "transmitir uma sensação tão próxima quanto possível àquela que sentimos quando olhamos o tema".[57] A figuração nos quadros é tão somente espectral. Giacometti "usa formas cuja aparência contradiz nossas noções sobre a aparência das coisas". Segundo Sylvester, a arte de Giacometti não faz senão "transmitir com precisão por que nossa percepção da realidade não pode ser transmitida com precisão".[58]

2. Kazimir Malevich: sair para o infinito

Tomemos de modo sumário o caso do suprematismo russo – movimento artístico do início do século XX – através de sua figura maior, Kazimir Malevich. Para o suprematista, o máximo de verdade – se assim pu-

[56] Idem, p. 19-20.

[57] Alberto Giacometti, entrevista relatada por Giovanni di San Lazzaro, 1951, *apud* David Sylvester, *op. cit.*, p. 19.

[58] David Sylvester, "Um disco tempo-espaço", in: David Sylvester, *op. cit.*, p. 41.

dermos dizer – implica a maior densidade possível de expressão da cor: um quadrado negro no qual se encerra uma representação suprema. Com efeito, se pinturas são composições que combinam cores, a máxima concentração de cores e a combinatória de todos os arranjos possíveis só pode ter a forma de um quadrado negro, ainda que o quadrado negro seja, a rigor, índice de si mesmo.

Da mesma forma, o suprematismo implica a reunião de todos os pontos de observação possíveis. Todos os modos de observação – ângulos, focos, destaques etc. – colapsam na soma de todos eles; de todos os modos, eis um quadrado negro. José Gil bem chama a atenção a respeito do ponto: o suprematismo, em geral, e o *Quadrado negro*, em particular, exigem "mudança do ponto de vista do pintor"; não há "orientação da representação", "alto, baixo, esquerda, direita e fundo, frente de uma perspectiva". Ademais, trata-se, ainda, da "abolição da linha da terra". Sobre isso, o próprio Malevich:

> *Destruí o anel do horizonte e saí do círculo no qual estão incluídos o pintor e as formas da natureza [...] saí para o branco, segui-me e vogai, camaradas aviadores do abismo, estabelecei os semáforos do suprematismo [...] o abismo branco, o infinito estão diante de vós.*[59]

[59] Cf. K. Malevitch, "Le Suprematisme", in: K. Malevitch, *Le Miroir suprématiste*, Lausanne: Éd. L'Age d'Homme, 1977, *apud* José Gil, *A arte como linguagem*, Lisboa: Relógio D'Água, 2010, p. 18.

Mas pode-se dizer, com grande plausibilidade, que o suprematismo não abriu mão do sentido extrínseco da obra, pois teria mostrado o quanto podemos derivar do seu vislumbre: uma solução gráfica para um problema filosófico, o da relação entre verdade e representação. Não deixa de haver ironia nessa revelação da precipitação em um quadrado da totalidade de todos os sentidos possíveis. Consideremos o experimento radical de Malevich, a expressão suprema da verdade, a violar as formas ordinárias de representação: "A superfície plana que forma um quadrado foi o cepo de onde saiu o suprematismo, o novo realismo colorido enquanto criação não figurativa."[60]

Segundo a fina leitura de José Gil, o projeto de Malevich visava "chegar a uma realização de formas que nada devessem ao mimetismo das formas naturais, que nada devessem à luz do sol".[61] Depois de intensa pesquisa formal anterior, condensada no que ele mesmo definiu como "alogismo", no qual ocorre uma "sobrecarga de figuras e de formas, quase atafulhadas", aparece um "simples quadrado negro". Ainda de acordo com José Gil, a descoberta do quadrado faz simplificar, permite começar "a partir do zero".[62] De fato, com o *Quadrado negro*, posto sobre uma superfície branca, Malevich pôde dizer: "Atingi o zero das formas e fui até o abismo branco."[63]

[60] Idem, p. 12.

[61] Cf. José Gil. *A arte como linguagem*, *op. cit.*, p. 13.

[62] Cf. José Gil, *op. cit.*, p. 13.

[63] *Apud* José Gil, *op. cit.*, p. 13.

Quadrado negro sobre fundo branco
Kazimir Malevich, 1915
Galeria Tretyakov, Moscou

A descoberta de Malevich é por ele vivida de modo perturbador. Vê-se bem o porquê: "A representação figurativa traz para o quadro qualquer coisa do referente, não é simplesmente uma imitação, uma cópia, não, há qualquer coisa da própria natureza do objeto real que passa para o quadro."[64] Malevich, ao "apagar a representação", acabou por "apagar também o referente", o que teria como corolário a impossibilidade do próprio ato de pintar. É este mesmo o sentido da "vertigem suscitada e contida no *Quadrado negro*".[65] José Gil exonera, de modo brilhante, Malevich desse impasse: "Não há [...] total impossibilidade da pintura porque Malevich criou uma linguagem a partir desse quadrado que começa por ser uma espécie de buraco negro que engole e absorve todas as formas da natureza."[66] O comentário engenhoso indica o quanto referencialidade e experiência estética se dissociam: o *Quadrado* de Malevich é "o buraco negro que absorveu o mundo inteiro [...] ali desapareceram todas as formas".

E se nossos panos de fundo – *Hintergrund* –, que com Giacometti acolheram o vazio, agora se configurassem como buracos negros? Essa possibilidade, dada no campo da arte, não possui garantias de insulamento:

[64] *Apud* José Gil, *op. cit.*, p. 16. Era mesmo essa a intuição de Diderot diante das naturezas-mortas de Chardin. Para Diderot, para a devida contemplação das telas de Chardin, bastava tão somente que o espectador conservasse os olhos dados pela natureza. Cf. Denis Diderot, *Ensaios sobre a pintura*, Campinas: Papirus, 1993 (1766), p. 51.

[65] Cf. José Gil, *op. cit.*, p. 16.

[66] Idem, p. 17.

nada impede que possa se apresentar como parte do repertório que configura nossas estruturas mais amplas de expectativas.

3. Samuel Becket: o abismo do sentido

Fora de um registro pictórico, a referência a Beckett, a partir do problema posto da quebra entre preenchimento e expectativa, põe de modo obrigatório sob foco o texto da peça *Esperando Godot*, escrita em 1949 e encenada pela primeira vez em 1953. A relação é mesmo direta e o, digamos, "enredo" é mais do que conhecido: dois personagens – Vladimir e Estragon – em um ambiente de desolação esperam por Godot, sem que tenham qualquer ideia a respeito do que estão a esperar. Uma espera tão imperativa – a ponto de impedir qualquer movimento – quanto desprovida de significado tangível: pura expectativa falhada, tanto pelo abismo negativo da própria espera quanto pela intangibilidade do que é esperado. Por duas vezes, ao longo da peça, um menino aparece, portador da informação de que Godot não pode vir e que virá "amanhã". Extensão do horizonte da espera, ao mesmo tempo que escavação mais funda no abismo de sentido do próprio ato de esperar.

Ao mesmo tempo, o abismo da memória. Para os personagens, o sem sentido do futuro vem a par com o sem sentido do passado: é como se a memória perdesse seu lastro, diante do apagamento do futuro tanto como horizonte de possibilidades quanto como situação existencialmente tangível. A eliminação do futuro desfaz as condições de fixação da memória.

> *Vladimir: O que eu estava dizendo? Podíamos retomar dali.*
>
> *Estragon: Quando?*
>
> *Vladimir: Bem no começo.*
>
> *Estragon: Começo do quê?*
>
> *Vladimir: Hoje à tarde. Dizia... dizia...*
>
> *Estragon: Assim é exigir demais de mim, pode acreditar.*
>
> *Vladimir: Espere... teve o abraço... estávamos contentes... contentes... que fazer agora que estamos contentes... esperamos... deixe ver... estou quase lembrando... agora que estamos contentes... deixe ver... estou quase lembrando... agora que estamos contentes... esperamos... deixa ver... isso! A árvore!*
>
> *Estragon: A árvore?*
>
> *Vladimir: Você não lembra?*
>
> *Estragon: Estou cansado.*
>
> *Vladimir: Repare nela.*
>
> *Estragon: Não estou vendo nada.*[67]

A perturbação nos circuitos de memória é parte de um "nada sei", que evoca passagem de *O inominável*, obra escrita em concomitância com *Esperando Godot*, em 1949: "Seus sentidos não lhe dizem nada, nada

---

[67] Cf. Samuel Beckett, *Esperando Godot*, São Paulo: Companhia das Letras, 2017 (1954), p. 84.

a respeito de si, nada a respeito do resto, e essa distinção está além de si mesmo. Sentir nada, saber nada, no entanto ele existe..."[68] Por definição pleonástica, o "ele existe" é um marcador de existência, insuficiente, contudo, para qualquer esclarecimento ou fixação de sentido. O "estar aqui", como enunciado de um princípio de realidade, colapsa diante do vazio da expectativa e de sua incapacidade radical de antecipar qualquer preenchimento:

> VLADIMIR: *[...] O que estamos fazendo aqui, essa é a questão. Foi-nos dada uma oportunidade de descobrir. Sim, dentro dessa imensa confusão, apenas uma coisa está clara: estamos esperando que Godot venha.*[69]

Apagamento do tempo. Decomposição dos circuitos psicológicos nos quais estão depositadas as crenças causais: não há causalidade detectável nas coisas. A linguagem é a sede de um permanente princípio de *non sequitur*. A fala dos personagens de *Esperando Godot* é composta de enunciados que denotam a presença de uma forma de vida sustentada em uma cláusula que faz com que nada decorra de nada: nenhum ato de fala decorre de um antecedente ou dá passagem para algum consequente: "histórias jamais concluídas", "perguntas

[68] Cf. Samuel Beckett, *Molloy, Malone Dies and The Unnamable*, New York: Grove Press, 1965, p. 346.

[69] Idem, p. 102.

nunca respondidas".[70] Não há circuitos lógicos no vazio; tampouco circuitos tangíveis:

> VLADIMIR: *E, na sua opinião, onde estávamos ontem à tarde?*
>
> ESTRAGON: *Não sei. Em outro lugar. Noutro compartimento. Vazio é o que não falta.*[71]

A cláusula de *non sequitur* é antes de tudo existencial e tem parte com a indistinção dos lugares: trata-se do vazio por toda parte: nada resulta de nada. Vladimir, em uma de suas falas, parece buscar consistência maior em meio ao desarranjo, mas só pode apresentar uma ordem das dúvidas:

> VLADIMIR: *Será que dormi enquanto os outros sofriam? Será que durmo agora? Amanhã, quando pensar que estou acordando, o que direi desta jornada? Que esperei Godot com Estragon, meu amigo, neste lugar até o cair da noite? Que Pozzo passou por aqui, com seu guia, e falou conosco? Sem dúvida. Mas quanta verdade haverá nisto tudo? Ele não saberá de nada. Falará dos golpes que sofreu e lhe darei uma cenoura.*

[70] Cf. Rónán McDonald, "*Esperando Godot* e o impacto cultural de Beckett", in: Samuel Beckett, *Esperando Godot*, *op. cit.*, p. 150. McDonald, professor de Literatura Irlandesa da Universidade de Melbourne, é autor de importante e útil obra de introdução à obra de Beckett: *The Cambridge Introduction to Samuel Beckett*, Cambridge: Cambridge University Press, 2006.

[71] Cf. Samuel Beckett, *Esperando Godot*, *op. cit.*, p. 85.

Do útero para o túmulo e um parto difícil. Lá do fundo da terra, o coveiro ajuda, lento com o fórceps. Dá o tempo justo de envelhecer. O ar fica repleto dos nossos gritos. Mas o hábito é uma grande surdina. Para mim também, alguém olha, dizendo: ele dorme, não sabe direito, está dormindo. Não posso continuar. O que foi que eu disse?[72]

Ao nexo interrompido entre expectativa e preenchimento, há o acréscimo de nova fenda: o hábito, ao impor a surdina, estabelece a inutilidade dos atos de fala. Fenda entre voz e surdina: os gritos no ar, diante da cláusula pétrea da ausência de escuta, não estabelecem nexos significativos. *Esperando Godot*, dessa forma, pode ser tomado como modelo puro de uma experiência de expectativa falhada, de uma perturbação funda e incancelável dos mecanismos de antecipação do futuro, a desfazer a imagem antropológica de uma espécie constituída por seres no tempo. Trata-se, com efeito e tão somente, da "natureza mecânica e danificada do tempo", conforme expressão inspirada de Fábio de Souza Andrade.[73]

Molloy – juntamente com *Malone morre* e *O inominável* – abriu a trilogia composta por Beckett no pós-guerra, entre 1946 e 1950. Foi publicada originalmente em francês (1951). Traduzida para o inglês,

---

[72] Idem, p. 115.

[73] Cf. Fábio de Souza Andrade, "*Godot* em dois tempos", in: Samuel Beckett, *Esperando Godot, op. cit.*, p. 124-25.

foi editada quatro anos depois.[74] Para concluir a referência a Beckett, gostaria de destacar, de *Molloy*, três passagens:

> *1. "Furtei de Lousse uma pequena prataria [em meio a] pequenos objetos cuja utilidade não compreendi, mas que pareciam ter algum valor. Entre estes, havia um que me deixa assombrado de tempos em tempos."*[75]
>
> *2. "Penso ter ainda esse estranho instrumento em algum lugar, pois nunca consegui reunir forças para vendê-lo, mesmo em momentos de total desespero, já que nunca entendi qual seria a sua função, nem mesmo cogitei qualquer hipótese sobre o assunto."*[76]
>
> *3. "De vez em quando o tirava do bolso e o contemplava com assombro e afeto [...] durante algum tempo me inspirou uma espécie de veneração."*[77]

---

[74] Cf. Samuel Beckett, *Molloy*, Paris: Les Éditions de Minuit, 1951, e *Molloy*, New York: Grove Press, 1955.

[75] Cf. Samuel Beckett, *Molloy, Malone Dies and The Unnamable*, New York: Grove Press, 1964, p. 63. "I had stolen from Lousse a little silver [among which were] small objects whose utility I did not grasp but which seemed as if they might have some value. Among these later there was one which haunts me still, from time to time."

[76] Idem, p. 63. "This strange instrument I think I still have somewhere, for I could never bringing myself to sell it, even in my worst need, for I could never understand what possible purpose it could serve, nor even contrive the faintest hypothesis on the subject."

[77] Idem, p. 64. "And from time to time I took it from my pocket and gazed upon it with an astonished and affectionate gaze...for a certain time it inspired me with a kind of veneration".

Do que se trata? Que experiência é essa? Encontramos a resposta em outro texto de Beckett, sobre Proust (1931), por meio da defesa de uma doutrina na qual há uma conexão necessária entre percepção de "singularidade (*uniqueness*)" e "encantamento", proporcionada pela ignorância.[78] Vejamos:

> *Mas quando o objeto é percebido como particular e único e não como simples membro de uma família, quando ele aparece independente de qualquer noção geral e desligado da sanidade de uma causa, isolado e inexplicável à luz da ignorância, então e somente então poderá ser uma fonte de encantamento.*[79]

Há aqui posta uma relação entre *singularidade*, *ignorância* e *encantamento*: a percepção do objeto sem qualquer referência à ordem de expectativas que ele pode suscitar pela sua função. Não é de tal ordem que se extrairá o seu sentido, mas de uma experiência da qual ocorre uma pura constatação singular. Uma constatação a um só tempo sem memória e sem projeção. Uma constatação cuja forma de alucinação específica implica dizer que "isto é isto".

---

[78] A sugestão de intertextualidade, que estabelece o nexo entre *Molloy* e *Proust*, foi sugerida por Steven Rosen, *Samuel Beckett and the Pessimistic Tradititon*, New Brunswick, NJ: Rutgers University Press, 1976, p. 9-10.

[79] Cf. Samuel Beckett, *Proust*, São Paulo: Cosac Naify, 2003 (1931), p. 22.

Bertrand Russell definiu uma "constatação" como o que constitui o preenchimento de uma expectativa, assim como a realização de um voto ou de um desejo. Na mesma linha, Moritz Schlick, um dos fundadores do Círculo de Viena, cidade na qual foi assassinado em 1936 pelos nazistas locais, complementa o juízo de Russell: constatações são respostas às expectativas nas quais uma hipótese se materializa. O experimento *Molloy*/Beckett apresenta, ao contrário, a possibilidade de *constatações sem expectativas e sem história*. Vale dizer, fora do tempo. Constatações que, por estarem livres do regime de "sanidade" das regras usuais de causalidade, propiciam encantamento. O que isso contraria?

Trata-se de uma negação que atinge a estrutura mais "arcaica" de nossa compreensão quando lidamos com o futuro, já que suprime o regime da causalidade como modo de inteligibilidade e de antecipação do mundo. Neste sentido, *Molloy*, assim como *Esperando Godot* e outros textos essenciais de Samuel Beckett, são experimento *futureless*, sem futuro. O que os faz experimentos radicais é o fato de que falam da supressão do sentido e do futuro para dentro de nós. A suposição é a de que a experiência com o futuro, não sendo ela da ordem da experiência *tout court*, já que não há como ter uma relação externalista com o futuro, é a de que ela existe dentro do sujeito mesmo. É importante considerar os operadores epistêmicos aí presentes, para melhor entender a escala da subversão proporcionada por autores como Beckett e

Pirandello:[80] não será essa a modalidade de experimentos com o futuro que o presente nos proporciona?

> *Ficamos desapontados com a nulidade do que nos apraz chamar de realização. Mas o que é a realização? A identificação do sujeito com o objeto de seu desejo. O sujeito morreu – quem sabe muitas vezes – pelo caminho.*[81]

Não será essa uma outra forma de encenar – e dissolver – a tensão entre expectativa e preenchimento: a imediata "identificação do sujeito com o objeto de seu desejo"?

4. Alfred H. Barr Jr. e Clement Greenberg: o elogio da abstração

Se Malevich pôs toda a natureza no *Quadrado negro*, coube aos expressionistas abstratos norte-americanos – uma linhagem que terá em Jackson Pollock um de seus principais expoentes – afirmar sua obsolescência. Em um notável texto, Alfred H. Barr Jr. – primeiro diretor do Museu de Arte Moderna (MoMA) de Nova York, em 1929 – estabeleceu os termos da recusa ao modelo tradicional da referencialidade. A peça em questão foi publicada como apresentação do catálogo da exposição

[80] Por meio da referência a uma de suas obras tardias – *Um, nenhum e cem mil* –, analisei a presença, em Pirandello, de um caso extremo de deflação de sentido, por meio de uma experiência de "descrença de si". Ver o ensaio "Crença, descrença de si, evidência: a propósito de uma fábula de Luigi Pirandello", incluído neste livro.

[81] Cf. Samuel Beckett, *Proust*, *op. cit.*, p. 12.

"*Cubism and Abstract Art*", havida no MoMA, em Nova York, em 1936. Um resumo do argumento de Alfred H. Barr Jr. pode ser encontrado na seguinte passagem:

> *A conquista pictórica do mundo visual exterior foi executada e refinada muitas vezes, em diferentes tempos e modos, durante os últimos quinhentos anos. Os artistas mais inovadores e ousados acabaram fartos de imprimir fatos. Por meio de um impulso comum e poderoso foram levados a abandonar a imitação das aparências da natureza. [...] "Abstrato" é o termo usado de modo mais frequente para descrever o efeito mais extremo desse impulso de sair da "natureza".*[82]

O modo da referencialidade apresenta-se aqui como abrigo da atividade inercial de "imprimir fatos". A expressão bem diz da ilusão mimética de fazer com que, ao olhar para as telas, passemos para o mundo. Longe dessa contaminação tediosa, os abstratos fazem-nos permanecer na tela, já que a semelhança com os objetos destrói os "valores da arte" e representa um "empobrecimento da pintura". Os valores dizem respeito à precedência da forma: "uma pintura [...] merece ser vista antes

[82] Cf. Alfred Barr Jr., "Cubism and Abstract Art," in: MoMA, *Cubism and Abstract Art: Painting, Sculpture, Constructions, Photography, Architecture, Industrial Art, Theater, Film, Posters,* Typography, New York: MoMA, 1936, p. 11. Para cópia digitalizada, ver: <https://www.moma.org/documents/moma_catalogue_2748_300086869.pdf>. Para um estudo recente e importante a respeito do papel de Alfred Barr Jr. na aproximação da história da arte com a arte contemporânea, ver Richard Meyer, *What was Contemporary Art?*, Cambridge, Mass.: MIT Press, 2013.

de tudo porque apresenta uma composição e uma organização de cor, linha, luz e sombra." Aos que percebem no abandono dos objetos uma decisão com implicações empobrecedoras, Barr Jr. retruca: "em sua arte, o artista abstrato prefere o empobrecimento à adulteração".[83]

O caminho para a abstração como princípio estético já vinha sendo percorrido por Barr Jr. desde a década anterior, quando lecionava História da Arte no Wellesley College, uma instituição feminina nas redondezas de Boston, voltada para as então chamadas artes liberais. Como professor em Wellesley, Barr Jr. organizou em 1927 a exposição "Progressive Modern Painting from Daumier and Corot to Post-Cubism" [Pintura Moderna Progressista: de Daumier e Corot ao Pós-Cubismo], reunindo 25 quadros pertencentes a coleções privadas em Nova York, Boston e Chicago. O episódio é interessante, pois exibe a experiência da reversão de expectativas estéticas usuais, com a ênfase dada em obras de caráter não figurativo. Barr Jr. escreveu a seguinte apresentação/exortação para sua mostra, publicada no semanário *Wellesley College News*:

> *A pintura foi por séculos subordinada à Igreja, à ilustração, ao retratismo e à decoração de interiores. A pintura pregou sermões, preservou a fisionomia das pessoas e o registro dos eventos e documentou a pesquisa científica. O incremento contemporâneo da literacia,*

[83] Cf. Alfred Barr Jr., *Cubism and Abstract Art*, p. 11, para as duas últimas citações.

a presença do rádio, da câmara fotográfica e da imagem cinematográfica tornam supérflua a utilidade da pintura. Dessa forma, a pintura rapidamente se torna tão inútil quanto sonetos ou quartetos de cordas. Isso é vital para o entendimento da razão da incompreensão que atinge a pintura moderna: o público não acompanhou essa emancipação revolucionária e ainda busca no artista estórias, a imitação de objetos naturais ou o prazer decorativo das cores.[84]

A medida da inadaptação do público – ou, se calhar, da inadaptação recíproca – não se fez esperar. No número seguinte do mesmo semanário foi publicada uma nota com o seguinte título: "*Seniors Find Modern Art Queer and Incomprehensible*", algo como os adultos percebem a arte moderna como insólita e incompreensível. A nota dava conta das sensações de desaprovação, desgosto e desorientação – "*dislike, disgust, bewilderment*" – do público. O sentimento de desprazer, com efeito, provinha da sensação de incompreensão: a supressão do sentido extrínseco das telas – a referencialidade – bloqueou os circuitos do gosto. Em outros termos, trata-se do vínculo entre desprazer estético e falha/abismo do entendimento, a dobra negativa do nexo virtuoso entre expectativa e preenchimento.

Para Barr Jr., o vínculo entre abstração e incompreensibilidade da pintura moderna decorreria dos efei-

[84] Cf. Alfred Barr Jr., "The Exhibition of Modern Art", *Wellesley College News*, April 21, 1927, p. 5.

tos gerados pela emancipação desta última com relação à obra da verossimilhança e de narração de uma estória (*storytelling*). Tratava-se, segundo ele, de envidar esforços de ampliação do público, estabelecendo uma nova distinção entre prazer visual e interesse estético. Diante da crítica desejante da boa e velha referencialidade, Barr Jr. afirmava a necessidade de ver com insistência as obras em questão: "Esses quadros exigem ser vistos, revistos, vistos e revistos seguidamente. Só assim poderão ser desfrutados de modo compreensível."[85] Segundo Richard Meyer, Barr Jr. advogava uma "pedagogia da visão em primeira mão" ("*a pedagogy of first hand viewing*").[86] Em outros termos, a inteligibilidade das obras em questão decorrerá da familiaridade com a linguagem estética que praticam. José Gil, como vimos, argumentou na mesma direção ao identificar em Malevich a prática de uma "arte como linguagem".[87]

A afirmação com a qual o crítico brasileiro Rodrigo Naves abre seu excelente ensaio introdutório à edição brasileira do livro *Arte e cultura*, de Clement Greenberg, não pode ser tomada como exagero: com efeito, trata-se do "mais importante crítico de arte norte-americano do século XX".[88] A trajetória crítica de Greenberg confundiu-se com a afirmação no cenário artístico norte-

---

[85] Idem, p. 5.

[86] Cf. Richard Meyer, *op. cit.*, p. 86.

[87] Cf. José Gil, *A arte como linguagem*, *op. cit.*

[88] Cf. Rodrigo Naves, "As duas vidas de Clement Greenberg", in: Clement Greenberg, *Arte e cultura*, São Paulo: Cosac Naify, 2013, p. 17.

-americano com a emergência e a hegemonia estética do expressionismo abstrato, configurado nas obras de Pollock, De Kooning, Rothko, entre muitos outros.

Clement Greenberg, três anos após a publicação do catálogo da exposição do MoMA "Cubism and Abstract Art", em ensaio – "Avant-garde and Kitsch" – publicado originalmente na revista *Partisan Review* (1939), acompanha os termos da introdução elaborada por Barr Jr., acrescentando seu próprio tempero: "O conteúdo deve ser dissolvido tão completamente na forma que a obra de arte ou a literatura não possam ser reduzidas no todo ou em parte a nada que não seja ela mesma."[89]

O juízo de Greenberg não incidiu apenas sobre a arte norte-americana de seu tempo. Abrange parte expressiva da vanguarda europeia. Sob sua inspeção estão, segundo diz, Picasso, Braque, Mondrian, Miró, Kandinsky, Brancusi, Klee, Matisse e Cézanne. Todos teriam em comum o fato de que "tiram sua principal inspiração do meio no qual trabalham".[90]

Greenberg voltaria à questão em ensaio publicado em 1954 – "Abstrato, figurativo e assim por diante" –, no qual sustenta ser a abstração o "modo de expressão da arte em nosso tempo". Todos os demais modos seriam, para ele, "menores".[91] Um dos pontos cruciais do

---

[89] Cf. Clement Greenberg, "Vanguarda e kitsch", in: Clement Greenberg, *Arte e cultura*, São Paulo: Cosac Naify, 2013 (1939), p. 30.

[90] Idem, p. 31.

[91] Cf. Clement Greenberg, "Abstrato, figurativo e assim por diante", in: Clement Greenberg, *op. cit.*, p. 159-64.

ensaio é o reconhecimento da quebra de expectativas representada pela pintura abstrata, o que teria configurado um quadro de insatisfação estética por parte do público:

> *[...] o não figurativo não é necessariamente inferior ao figurativo – mas, ainda assim, ele não é muito pouco preparado pelas expectativas herdadas, habituais, automáticas com que nos aproximamos de um objeto que nossa sociedade concorda em chamar de pintura ou de estátua? Por essa razão, não é possível que mesmo a melhor pintura abstrata ainda nos deixe um pouco insatisfeitos?*[92]

A quebra das "expectativas herdadas" teria sido, para Greenberg, produto da crítica da "ilusão de espaço tridimensional", dominante, segundo ele, de Giotto a Coubert: "Olhava-se através dessa superfície como se olharia através de um proscênio dentro de um palco." Com o "modernismo", o "pano de fundo" do palco "passou a coincidir com sua cortina". Com essa aproximação de planos, Greenberg revela de modo claro os motivos do estranhamento. Trata-se da "eliminação daqueles direitos espaciais que as imagens costumavam possuir quando o pintor era obrigado a criar uma ilusão do mesmo tipo de espaço que aquele que nossos corpos se movimentam". É a falta da "sensação dessa ilusão"

---

[92] Idem, p. 161.

que nos faria falta: já não mais podemos "escapar para dentro do espaço pictórico". Esta última expressão exibe à perfeição a direção assumida pela arte abstrata: já não mais nos reconhecemos como partes possíveis dos mundos ali representados. O efeito é tão pregnante que mesmo a reação figurativa posterior à abstração não fará da perspectiva de escape para dentro do espaço pictórico uma condição para o entendimento e a fruição estéticos.[93] Ficam, assim, danificados os circuitos estéticos – e perceptuais – de conexão entre expectativa e preenchimento. De modo positivo, abrem-se novas possibilidades de juízo estético que não exigem como condição de possibilidade o hábito – por parte do espectador – de pôr o mundo nas telas. De qualquer modo, trata-se de um processo multivariado de ruína da referencialidade.

Nota final: o abismo da espera

Ao fim da apresentação dos quatro casos de ruína da referencialidade e, por extensão, de congelamento das expectativas, chegamos ao seguinte quadro:

[93] Sobre as linguagens da "nova figuração", ver o excelente livro de Timothy Hyman, *The World New Made: Figurative Painting in the Twentieth Century*, *op. cit.*

Quadro geral e sintético de deflação dos operadores de espera

Giacometti (Sartre)	"Trazer o vazio" para o quadro. "Expulsar o mundo das telas."
Malevich	"Um buraco negro que absorve o mundo inteiro." "Abismo das formas."
Molloy/Godot/ Proust: Beckett	Isolamento, abismo do sentido, ignorância e afastamento da "sanidade da causa" como fontes de encantamento diante dos objetos singulares.
Alfred H. Barr Jr.	Não mais "imprimir fatos" nas telas. Melhor empobrecer do que adulterar.
Clement Greenberg	Dissolver o conteúdo na forma. Fusão do "pano de fundo com a cortina". Não há mais como "escapar para dentro do espaço pictórico".

O quadro não está aqui a serviço de um elogio nostálgico da arte mimética, ou de alguma nostalgia pela referencialidade. Trata-se tão somente de indicar o quanto a sensibilidade estética fundada nos aspectos ali indicados trouxe consigo um padrão epistêmico próprio para lidar com as relações entre expectativa/espera e preenchimento. Ainda que, como sustentou Wittgenstein, a expectativa crie um modelo para o acontecimento, isto não quer dizer que ambos sejam idênticos, o que seria absurdo.

Toda expectativa é uma antecipação – uma hipótese a respeito do tempo. As condições de preenchimento provêm do que a ela se soma, tal como a superfície convexa faz sobre a superfície côncava, sendo ambas, portanto, distintas. A perfeição do encaixe deve-se à complementação entre partes substancialmente distintas, na ordem do tempo. Mesmo que a expectativa antecipe o acontecimento, este exerce sobre ela um efeito de suplementação, não sendo, pois, mera repetição. Tudo dependerá, por certo, da extensão do hiato entre ambos, mas a presença de algum hiato é condição necessária para que o acontecimento acrescente algo à expectativa. Tal é a condição necessária para que o sujeito perceba o tempo a jusante – ou, se quisermos, o futuro – como ocasião para suplementações da experiência. Para tal, a estrutura da expectativa deverá estar ajustada ao desenho de acontecimento que se quer, para que sirva, tal como na cláusula de Wittgenstein, como modelo do futuro.

Os exemplos selecionados, e sistematizados no quadro dos deflatores, podem ser vistos como refutações do princípio do encaixe, do ajuste das formas côncava e convexa. Tal ajuste, bem disse Fernando Gil, esteve, enquanto durou, a serviço de um sentimento de inteligibilidade. Não é difícil entender que só se pode esperar algo do futuro – a não ser por irracionalismo fideísta e pura aposta – senão segundo a lógica do sentimento de inteligibilidade. Um dos aspectos mais importantes da arte contemporânea é o da presença de uma atitude cética diante da possibilidade mesma de circuitos de inteligibilidade.[94] Não haveria entre as experiências dos abismos da referencialidade, da inteligibilidade e da espera circuitos de alimentação recíproca?

Não há como responder assertivamente, por certo. Por hora, suprimamos apenas as interrogações no aforismo de Wittgenstein, deixado para trás, em uma das epígrafes deste ensaio. Digamos simplesmente: o arquétipo da insatisfação é o espaço vazio. Não há, simplesmente, futuro no espaço vazio. Somos, ao fim e ao cabo, efêmeros contemporâneos de nós mesmos e de nossas sensações. Agarrados aos objetos, sem qualquer metafísica, já não nutrimos grandes esperanças: soldadura, engaste, não preenchimento.

---

[94] Vale bem, a propósito, a leitura do excelente livro de Michael Leja, *Looking Askance: Skepticism and American Art from Eakins to Duchamp*, Los Angeles: University of California Press, 2004.

NOTA EXPLICATIVA FINAL

Em março de 1968, o filósofo Oswaldo Porchat Pereira proferiu a aula inaugural do Departamento de Filosofia da USP, tendo como tema e título a expressão "O conflito das filosofias". O texto, que viria a ser publicado em diversas ocasiões,[1] teve impacto mais do que forte em minha (de)formação filosófica pessoal. Tendo sido originalmente formado no campo da história e das ciências sociais, a inclinação filosófica que sempre me perseguiu ganhou consistência maior exatamente no momento em que os temas da dúvida, da incerteza e do ceticismo a mim se apresentaram. Uma consistência paradoxal, devida em grande medida àquele texto inaugural. Se calhar, vem daí a intuição de que a assim chamada consistência não passa de um nome – ou um sopro ruidoso – que designa e mal disfarça o amálgama imperfeito de nossas incertezas. O texto de Porchat segue sendo seminal. Não é o caso de proceder à glosa de seus argumentos, mas tão somente de destacar a força de duas passagens – entre tantas dotadas de enorme fertilidade – relevantes para estas notas finais.

Uma delas, decorrente da própria imagem do "conflito das filosofias", representa a variedade dos sistemas

---

[1] Aula inaugural do Departamento de Filosofia da Universidade de São Paulo, proferida em março de 1968 e publicada na *Revista Brasileira de Filosofia*, vol. XIX, fasc. 73, São Paulo, janeiro-março 1969, p. 3-15. Publicada também em: Bento Prado Jr.; Oswaldo Porchat Pereira; Tércio Sampaio Ferraz. *A filosofia e a visão comum do mundo*, São Paulo: Brasiliense, 1981, p. 9-21. Em: Oswaldo Porchat Pereira, *Vida comum e ceticismo*, São Paulo: Brasiliense, 1993, p. 5-21. E em: Oswaldo Porchat Pereira, *Rumo ao ceticismo*, São Paulo: Unesp, 2006, p. 13-23.

filosóficos como marcada por insolúvel cizânia, já que povoada por pretensões rivais dogmáticas à verdade, cada qual com arsenal próprio de autovalidação. Daí segue a ideia de que a história dos sistemas filosóficos é constituída pelas oposições que mantêm entre si. Se há historicidade nesses sistemas – e é evidente que há –, ela está fixada nesses jogos de refutação; ela é constituída primariamente pela história de seus litígios: "[...] a Filosofia se alimenta continuamente de si mesma e de sua própria história [...]."[2]

Outra ideia a destacar é o empréstimo que fez Porchat, ao fim de seu texto, de um fragmento do *Protréptico* – uma exortação à filosofia –, da lavra de Aristóteles. Diante do conflito irresolvível entre as filosofias, o ímpeto do filósofo não disposto a dogmatizar o conduz a cogitar a saída da filosofia. Porchat a designará como uma "saída em silêncio". E tal como ele bem o sabia, tal silêncio só é inteligível como saída filosófica. O filósofo, nessa chave, é prisioneiro de um labirinto sem mapa: seus atos de recusa – até mesmo sua eventual afasia – serão atos filosóficos. É essa a altura na qual, ao fim do texto, ocorre a evocação da seguinte passagem do *Protréptico*: "Se se deve filosofar, deve-se filosofar e, se não se deve filosofar, deve-se filosofar; de todos os modos, portanto, se deve filosofar."[3] Mas já que é inescapável o ato de filosofar, cabe a pergunta: filosofar sobre o quê?

---

[2] Cf. Oswaldo Porchat Pereira, "O conflito das filosofias", in: Bento Prado Jr.; Oswaldo Porchat Pereira; Tércio Sampaio Ferraz, *A filosofia e a visão do mundo*, p. 13.

[3] Cf. Sir David Ross (org.), *Aristotle Fragmenta Selecta*, Oxford: Oxford University Press, 1963, frag. 2.

Antes de mais nada, o exercício filosófico ocupa-se de questões fixadas em seu próprio campo; questões sedimentadas ao longo da tradição filosófica, que dizem respeito, entre outros assuntos, ao ser, ao conhecimento, ao sujeito, à linguagem, à ética, à moral, à estética, à política e à própria história da filosofia. Trata-se de questões que não podem ser consideradas sem algum socorro da filosofia, posto que estabelecidas como objetos de reflexão no interior do próprio campo filosófico. Para fins de definição, pode-se dizer que tais aspectos pertencem à classe das "questões internas" ao campo no qual surgiram.

A suposição a respeito de algo "interno" põe de modo automático a necessidade lógica de imaginar algo "externo". E o que seria tal "exterioridade"? Antes de imaginá-la, devo admitir que a distinção é problemática. Ao ocupar-se do ser em sua generalidade como uma "questão interna", não teria a filosofia eliminado a possibilidade de qualquer "questão externa"? Contorno a questão, sem resolvê-la, afirmando que se pode considerar como "questões externas" assuntos que, por natureza, não exigem inquirição filosófica. Imagino aqui um conjunto de problemas que se apresentam – como interpelações – ao juízo filosófico, mas que, com idêntica possibilidade, poderiam ser submetidos a outros tipos de juízo.

Creio ser este o caso das questões que considero nos três ensaios que compõem este livro. Com efeito, tensões entre ação, movimento e preguiça (primeiro ensaio); diferentes modalidades de crenças (segundo ensaio); e expectativas com relação ao futuro (terceiro ensaio) não podem ser apresentadas como temas que exigem tratamento filosófico. No entanto, se provocada ou interpelada, a reflexão filosófica poderá ter algo a dizer. É essa perspectiva de projeção da filosofia sobre os assuntos da vida que dá algum sentido ao que venho ensinando e escrevendo no âmbito da filosofia política. Uma projeção que não se configura por meio de atos arrogantes de iluminação ou elucidação. Nesse particular, como em tantos outros, sigo a regra de Wittgenstein: "a filosofia deixa tudo como está".

Não será, com efeito, como reserva de elucidação que a filosofia comparecerá nos assuntos da vida ordinária. Na verdade, *ela já lá terá estado*, quando algum praticante da filosofia desavisado oferecer aos humanos comuns as artes de seus utensílios de iluminação. É bem provável que alguma testemunha – um operador de bom senso – desse ato generoso de oferta epistemológica possa retrucar de modo singelo: Mas não foram vocês a inventar os dilemas e as confusões? Agora nos querem impor regramento e direcionamento do espírito?

Estou convicto da importância de imaginar a prática filosófica como uma das dimensões constitutivas do campo da cultura, em sentido antropológico e não ministerial. Visões de mundo, valores e maneiras de pensar fazem parte da reserva simbólica da vida social, em inúmeras combinações possíveis com fatores diversos. Afinal, acreditamos que somos sujeitos, que temos ideias e que as coisas no mundo fazem sentido quando detectamos suas finalidades, sem que tenhamos lido Descartes, Platão ou

Aristóteles. É bem possível que a especulação filosófica tenha resultado de séries longas de abstrações de termos e problemas comezinhos, postos pela vida comum.

Não é o caso, é evidente, de decidir este ponto, neste momento. O que pretendi com os ensaios aqui reunidos foi envolver pela especulação filosófica temas e problemas que poderiam ter tratamento distinto se submetidos a outras linguagens e protocolos de corte descritivo. Não há aqui pretensões à descrição, mas uma disposição de inscrever um conjunto de problemas no campo da especulação filosófica. No último dos ensaios, afirmei não ter nada a demonstrar ou provar, mas tão somente a mostrar. Penso que isto se aplicou aos demais ensaios. Procurei construir e mostrar argumentos que mobilizam referências filosóficas diversas em torno de temas que frequentam alguns de nossos dilemas: o caráter por vezes asfixiante das demandas do espaço-tempo, o lugar de nossas expectativas de futuro e o trabalho da crença sobre a configuração do âmbito humano.

Trata-se, sobretudo, de ensaios, um modo de expressão que não tem por objeto provas e demonstrações. Provas são modos de validação inescapáveis das ciências experimentais; as demonstrações relevam do espírito geométrico e da lógica. O gênero multivariado dos ensaios constitui, por definição, um modo de expressão a um só tempo aberto e sem sistema. Pode-se dizer que se caracteriza por configurar *experimentos sem prova*, que buscam tão somente plausibilidade, persuasão e empatia. Muitas vezes, ensaios valem menos pelo que apresentam como conclusões e mais pela trajetória dos argumentos, pelas imagens que sugerem e, sobretudo, pelo próprio exercício do pensamento, como um valor em si mesmo.

Muito do que aqui está escrito releva do contato com a obra e com a persona do filósofo português Fernando Gil, professor da École des Hautes Études en Sciences Sociales (Paris) e da Universidade Nova de Lisboa. Fernando exerceu – e segue a exercer – sobre mim influência inestimável, por ter fixado no meu horizonte os temas da crença, da inteligibilidade, da evidência, da alucinação, do pensamento soberano, entre tantos outros. Mas, sobretudo, pela importância que conferia ao tema do sujeito e da necessidade de sua reapresentação diante dos esforços filosóficos contemporâneos voltados para o seu apagamento. Sem a presença dos temas e dos argumentos gilianos, pouco do que aqui publiquei seria possível. De original, o que fiz foi acrescentar temperos céticos aos temas do Fernando, que diante disso sempre reagiu com as melhores das disposições.

Fernando já não mais está entre nós. Deixamo-lo sob uma campa no cemitério da pequena vila de Osse-en-Aspe, nos Pirineus Atlânticos franceses, em março de 2006. Já lá estava o avô de sua mulher – a filósofa Danièle Cohn –, abatido pelos nazistas em 1940, quando tentava escapar, pela fronteira espanhola, da França então ocupada. Um enredo que bem sabe a Walter Benjamin. Ao escolher seu lugar de sepultamento, Fernando pareceu ecoar o escritor austríaco Gregor von Rezzori: “A única dignidade que poderia existir naquela época era pertencer ao grupo das vítimas." Este livro vale, portanto, como pequenas pedras depositadas sobre sua *matzeiva*.

A Adauto Novaes devo os convites e as provocações para considerar os temas aqui tratados e na forma em que foram feitos. Adauto há trinta anos tem militado em prol da constituição de um público qualificado em torno de questões fundamentais no campo das Humanidades, fora dos ambientes restritos da vida acadêmica. Seus convites valem como desafios para que falemos para além desses muros que nos abrigam. Há mais do que isso, contudo: os temas propostos por Adauto induzem-nos – os participantes habituais das séries anuais de conferências – a sair de seus nichos disciplinares e a dialogar com linguagens e tradições diversas, oportunidade ímpar diante do quadro fechado de especialização disciplinar que afeta a divisão do trabalho intelectual.

Devo ao rabino e amigo Sergio Margulies, da Associação Religiosa Israelita do Rio de Janeiro (ARI/RJ), a "descoberta" de Abraham Joshua Heschel e de seu magnífico texto sobre o Schabat. Não há medida do meu agradecimento: é daquelas sugestões bibliográficas que mudam um pedaço da vida de um sujeito.

Por fim, e por dever de justiça, devo dizer que o trabalho de pesquisa e de elaboração, em suas diferentes versões, dos ensaios que compõem este livro, foi executado no âmbito das Bolsas de Produtividade em Pesquisa, a mim concedidas pelo CNPq, desde 2004, no campo da filosofia política.

Rio de Janeiro/Visconde de Mauá, agosto de 2018.

1ª edição	*Abril de 2019*
papel de miolo	*Pólen Soft 70g/m²*
papel de capa	*Cartão Supremo 250g/m²*
tipografia	*Minion Pro*
gráfica	*Edigráfica*